CW00670797

GÉNESIS

PARA GENTE NORMAL

Hablan de *Génesis para gente normal*

"Este libro es un antídoto bienvenido contra la mistificación del libro del Génesis que circula. Es accesible para los lectores que quieren dar un paso y zambullirse en este antiguo texto. Es gentil en llevar a los lectores a un sentido crítico del texto como respuesta a un trauma 'tardío' en Israel. Es imaginativo en su articulación de un libro que, de otra manera, podría ser desagradable. La convergencia de accesibilidad, amabilidad, e imaginación hacen de esta una muy buena lectura".

– WALTER BRUEGGEMANN, profesor emérito
Seminario Teológico de Columbia

"*Génesis para Gente Normal* es el punto de partida perfecto para cristianos que quieren leer el libro de Génesis de una manera más fiel y honesta. Enns y Byas desglosan la historia, el género, la cultura y el contexto para que las 'personas normales' —ya saben, aquellos que no pueden leer hebreo antiguo— tengan un mejor sentido de su propósito, significado y relevancia. Los autores se las arreglan para simplificar sin bajar el nivel intelectual, desafiar sin confundir, y cavar hacia lo profundo de la verdad sin comprometer su integridad. Una lectura obligada para todo aquel que le importe tanto la Biblia como para querer leerla y entenderla en sus propios términos".

– RACHEL HELD EVANS, autora de *Fe en Desenredo* y *Buscando el Domingo*

"Las historias del libro de Génesis están entre las más conocidas de la Biblia —tanto más fácil, entonces, es perder de vista el hecho de que el Génesis es un documento antiguo de un entorno cultural muy diferente al nuestro. Enns y Byas proporcionan un volumen altamente legible que recuerda a los lectores cuál es su realidad, mientras explican el propósito y significado del Génesis a la luz de su contexto antiguo. Un libro ideal para estudio individual y/o grupal para interesados en comprender Génesis en sus propios términos".

– JOHN R. FRANKE, coordinador general de la
Red para el Evangelio y la Cultura

"La erudición evangélica del Antiguo Testamento ha alcanzado la mayoría de edad y ahora está saliendo de las sombras de la represión y el secreto. Nadie representa más esta fresca mayoría de edad que Peter Enns, que, con su coautor, Jared Byas, ponen a disposición de cualquier lector de la Biblia un nuevo compromiso con el Génesis —legible, responsable y reconociblemente fresco".

– SCOT MCKNIGHT, profesor de nuevo
testamento *Seminario del Norte*

GÉNESIS

PARA GENTE NORMAL

Una guía para el libro más controversial,
incomprendido y abusado de la Biblia

Por

Peter Enns y Jared Byas

Copyright © 2019 by Pete Eric Enns & Jared Dominick Byas.

GÉNESIS PARA GENTE NORMAL
UNA GUÍA PARA EL LIBRO MÁS CONTROVERSIAL,
INCOMPRENDIDO Y ABUSADO DE LA BIBLIA
de Peter Enns y Jared Byas. 2020, JUANUNO1 Ediciones.

Título de la publicación original: "Genesis for Normal People".
This translation published by arrangement with Bible for Normal People, LLC.
Esta traducción es publicada por acuerdo con Bible for Normal People, LLC.
Spanish Language Translation copyright © 2020 by JuanUno1 Publishing House, LLC.

ALL RIGHTS RESERVED. | TODOS LOS DERECHOS RESERVADOS.
Published in the United States by JUANUNO1 Ediciones,
an imprint of the JuanUno1 Publishing House, LLC.
Publicado en los Estados Unidos por JUANUNO1 Ediciones,
un sello editorial de JuanUno1 Publishing House, LLC.
www.juanuno1.com

JUANUNO1 EDICIONES, logos and its open books colophon, are registered trademarks
of JuanUno1 Publishing House, LLC.
JUANUNO1 EDICIONES, los logotipos y las terminaciones de los libros, son marcas
registradas de JuanUno1 Publishing House, LLC.

Library of Congress Cataloging-in-Publication Data
Name: Enns, Peter, author
Génesis para gente normal : una guía para el libro más controversial, incomprendido y
abusado de la biblia / Peter Enns, Jared Byas.
Published: Miami : JUANUNO1 Ediciones, 2020
Identifiers: LCCN 2020945306
LC record available at https://lccn.loc.gov/2020945306

REL006060 RELIGION / Biblical Commentary / Old Testament / General
REL070000 RELIGION / Christianity / General
REL006000 RELIGION / Biblical Studies / General

Paperback ISBN 978-1-951539-39-9
Ebook ISBN 978-1-951539-40-5

Traducción: Ian Bilucich
Corrector: Tomás Jara

Diagramación y concepto: Shay Bocks
Adaptación al español de conceptos gráficos:
María Gabriela Centurión

Director de Publicaciones: Hernán Dalbes

First Edition | Primera Edición
Miami, FL. USA.
-Septiembre 2020-

DEDICADO A

P. E. - A los líderes y feligreses de la St. Matthew's
Episcopal Church, MapleGlen, PA.
Y, como siempre, a mi familia.

J. B. - A Dave Detwiler, que constantemente me recuerda
que la Iglesia está llena de "gente normal".

CONTENIDO

Infomercial

Génesis para gente normal es una guía breve para leer (alerta de *spoiler*) el libro de Génesis. No fue pensado para académicos o estudiantes de seminario, pero con gusto les enviaremos una copia si lo desean. Escribimos esto para gente normal, como tú, que tiene curiosidad sobre la Biblia y quiere saber de qué se trata Génesis; personas que no quieren pasar los siguientes cinco años de sus vidas aprendiendo hebreo o recorriendo miles de páginas de detalles. Sabemos cómo es. Quieres entender el punto y nosotros queremos ayudarte.

Algunos de ustedes podrían sentir curiosidad acerca de cómo leer el primer libro de la Biblia debido a ciertas controversias, como la relación entre *evolución* y *Génesis*. Bueno, llamarlo "relación" podría resultar muy extenso. Solo digamos que la ciencia y Génesis no han sido los mejores amigos durante los últimos cientos de años. Después de todo, es cierto que cuentan historias diferentes sobre cómo comenzó la tierra y la vida en ella. Y mientras mejor funciona la ciencia, más difícil es comprender Génesis, lo que puede hacer que empieces a ponerte nervioso si te tomas la Biblia en serio.

Aunque este libro no se trata sobre esa relación, podría ayudar a hacer algún avance. ¿Por qué? Porque uno de los problemas más grandes en el debate sobre Génesis y la ciencia es que las personas en ambos lados de la controversia piensan que pueden comparar sin más los días de la creación (Génesis 1) o de la historia de Adán y Eva (Génesis 2-3) con la teoría de la evolución y de alguna manera encontrar respuestas sobre qué paso en el principio.

Pero dicha comparación es imposible. Estos dos relatos al principio de la Biblia son partes realmente pequeñas de una historia más grande: todo el libro de Génesis. Y el foco de Génesis no está puesto en la creación sino en la nación de Israel. Génesis en sí mismo es una pequeña parte de una historia aún más grande: el Pentateuco (los primeros cinco libros de la Biblia), que es, obviamente, una pequeña parte de todo el Antiguo Testamento. Así que, aunque este libro no trata de ciencia y Biblia, ayudará a los preocupados o curiosos por los debates a dar un vistazo de toda la historia de Génesis y a descubrir qué deberíamos esperar de sus primeros capítulos.

Ya sea que tengas o no interés en las controversias sobre Génesis y la ciencia, has venido al lugar correcto para aprender. Escribimos este libro para ayudar a que la gente normal tenga una idea sobre a dónde apunta Génesis como un todo. Queremos ayudarte a ver Génesis como una historia, no solo como un montón de historias pequeñas (y extrañas) que se entienden por sí mismas (que es como muchos han aprendido a leerlo desde su niñez). Nada en Génesis se entiende por sí mismo. Todas las historias están conectadas y todas sirven a un propósito más grande.

Además, parte de la tarea de leer Génesis como una historia es aprender a leerlo a través de los ojos antiguos, más que de los modernos. La gran pregunta que tenemos frente a nosotros es por qué Génesis tiene el aspecto que tiene. De todas las historias que los israelitas podrían contar y en todas las formas que podrían haberlas contado, ¿por qué *esta* y por qué de *esta* manera?

Como veremos, una respuesta primaria a esta pregunta se ve en la imagen que abre el segundo capítulo: el cuadro *Jacob luchando con el ángel,* del siglo XIX. Esta obra ilustra la famosa lucha entre Jacob y un ser divino de algún tipo, historia que encontramos en el corazón de Génesis. Después de la lucha, a Jacob se le da un nuevo nombre —Israel— que significa "aquel que lucha con Dios".[1] Encontraremos varios temas importantes mientras avanzamos en nuestro camino por Génesis, pero una idea clave que verás a lo largo de todo esto es cuánto luchó el pueblo escogido con Dios. Mantenerlo en mente mientras lees el primer libro de la Biblia ayudará a que algunas de las piezas se unan.

Finalmente, un descargo de responsabilidad: no llegamos a cubrir todo. Si intentáramos incluir todos los detalles de Génesis y todas las cosas que se han dicho sobre él, tendrías que actualizar tu lector electrónico todo el tiempo. No queríamos escribir *La Guerra y la Paz: Edición Génesis*[2] y, seguramente, tú no querrías leerlo. Pero nuestra esperanza es que, una vez que obtengas un gran panorama, trabajar en los detalles será menos desalentador.

---

1 Citamos de la *New Revised Standard Version* (*en español, utilizaremos El Libro del Pueblo de Dios* [*LPD*]. *—N. del E.*) a menos que no queramos. Y tal vez te digamos —o no— cuando no estemos usando la NRSV. Si es algo que te obsesiona, siempre puedes recurrir a Google.

2 *La guerra y la paz es* una novela de 1300 páginas del escritor ruso León Tolstoi. Narra las vicisitudes de numerosos personajes de todo tipo y condición a lo largo de unos cincuenta años de la historia rusa, desde las guerras napoleónicas hasta más allá de mediados del siglo XIX. (N. del T.)

CAPÍTULO 1

La génesis de Génesis

Génesis es una historia antigua

Génesis es una historia antigua. Esto podría sonarte obvio, quizás algo condescendiente. ¡Es claro que es antiguo! Pero, si nos detenemos a pensar el significado, esta pequeña declaración podría ser lo más importante a tener en cuenta acerca de Génesis. Guiará el resto de esta obra, mostrándonos cómo aproximarnos al primer libro bíblico y qué deberíamos esperar de él.

Dependiendo de nuestro historial de exposición a la Biblia, alguno de nosotros podría aproximarse a Génesis esperando encontrar un relato detallado de la historia, como si fuera un libro de texto moderno. Claro, al llamar *historia al* Génesis, no estamos determinando si es histórico o ficcional. Cualquier libro sobre la Revolución americana o la Crisis de los misiles cubanos cuenta una historia, tanto como *Moby Dick, Game of Thrones,* o *Modern Family.* Pero Génesis no es un libro de texto (historia, ciencia u otro). Que nuestro adolescente interior se alegre.

Tal vez, en lugar de acercarnos a Génesis como un libro de texto, alguno de nosotros podría considerarlo un libro de principios que nos enseña cómo vivir. Pero, si nos aproximamos a una historia como a un libro de principios, es probable que nos encontremos queriendo saber "qué significa cada pasaje para mi vida". Imagínate lo siguiente: estás viendo un éxito de taquilla fascinante o un drama conmovedor y lo pausas cada cinco minutos para reflexionar sobre cómo podría aplicarse cada escena a tu vida. Sí, las historias se aplican a nuestras vidas —quizás más que cualquier otra forma de literatura—, pero no como principios abstractos o proverbios. Aplican cuando nuestros testimonios personales colisionan con ellas, cuando nos perdemos en el mundo que nos presentan, incluso al punto de que nos comienzan a definir.

Por lo tanto, leer Génesis como una historia antigua escrita en algún tiempo en particular a unas personas en particular nos abre posibilidades y mundos que no encontraremos en nuestra existencia limitada. Cuando dejamos de usar Génesis como un argumento, un libro de texto o un código de conducta y empezamos a verlo como una historia antigua —con personajes memorables, con reveses y giros, altibajos, logros y errores—, lo encontraremos fresco, profundo, más verdadero y relevante de lo que tal vez esperamos.

Las mejores historias moldean nuestras vidas precisamente porque, mientras las leemos, se nos presentan tanto la realidad como la posibilidad. Los personajes y circunstancias resuenan en nosotros porque son espejos de nuestra propia historia que nos recuerdan que no estamos solos en nuestras experiencias. Pero también nos arrastran a otro mundo que nos es menos familiar, uno que usualmente es extraño y a veces peligroso, que no nos muestra lo que es, sino lo que es posible.

¿Por qué habríamos de esperar algo liviano al principio de la historia de la relación de Dios con la humanidad? Para leer Génesis a través de ojos antiguos, tenemos que admitir que nuestros ojos modernos pueden obstaculizar el camino. Así que este capítulo es una cirugía de ojos. Está destinado a suspender nuestra mirada de siglo XXI y permitirnos entrar en una nueva forma de ver el mundo.

Génesis es el primer libro de una serie

Imagínate que alguien te dice que entiende tu saga épica favorita, quizás *La Guerra de las Galaxias*, *El Señor de los Anillos* o *Harry Potter*, pero te das cuenta de que la persona solo leyó el primer libro de la serie. ¿Cuánto de la historia podrían haber entendido? ¿No es que el principio de una historia solo tiene sentido a la luz del desarrollo y el final? Del mismo modo, si quieres encontrarle la vuelta a Génesis (evidentemente, quieres; por algo compraste este libro), tienes que retroceder un paso y reconocer que apenas es la primera parte de una serie de cinco.

Entre los académicos, el título abreviado para esta serie es *Pentateuco* (en griego, *cinco rollos*) y contiene los primeros cinco libros de la Biblia: Génesis, Éxodo, Levítico, Números y Deuteronomio. Así que Génesis es *La comunidad del anillo/ La piedra filosofal/ Los juegos del hambre/ Crepúsculo* (¿estamos dejando fuera alguna?) del Pentateuco. Y, dado que Génesis es el primer libro en una serie, nos perderíamos de mucho si primero no nos tomamos el tiempo de entender mejor toda su historia.

El Pentateuco es muy viejo; mucho más que el cristianismo. Viene a nosotros a través de los israelitas antiguos, que lo llamaron *la Torá (del hebreo ley o instrucción)*. Y es útil para nosotros entender por qué los israelitas antiguos llamaron así a esta historia de cinco partes. Tal como el título de la mayoría de las películas y libros, nos da una pista de la trama. Y, para tu sorpresa, no se le llamó Torá por ser una lista tediosa de *debes* y *no debes* para que pases de largo. No nos malentiendas. Las leyes conforman un elemento central de la Torá, incluso cuando muchos de nosotros las vemos como normas tediosas, extrañas e incómodas que incluyen temas como el moho, los sueños húmedos, la ingesta de cerdo o carne de camello, qué tipo de aves debes sacrificar, qué sucede si tu toro mata a un vecino, etcétera... (me duermo). Si lees el Pentateuco, tendrás que tomar todo esto con calma (o solo seguir haciendo lo de siempre y omitir esas partes).

En cualquiera de los casos, los judíos llaman a estos cinco libros *la Torá* porque el momento culminante de todo el libro es cuando su Dios específico, llamado Yahvé, se encuentra con Israel en el monte Sinaí y les da las instrucciones de cómo ser su pueblo[1] (luego de que son liberados de Egipto en el libro de Éxodo). Los israelitas acampan en los alrededores del monte Sinaí durante poco más de la mitad del Pentateuco. Claramente, este periodo es el "centro" de la historia, el evento al que todo lo anterior está conduciendo y todo lo que sigue refleja.

El monte Sinaí es donde los israelitas reciben la ley de Dios (de aquí el nombre Torá), y esta ley es central a su identidad como pueblo de Dios. Revela su relación con Dios como su pueblo y su relación con la tierra como regalo de Dios. En otras palabras, la historia de Israel encuentra su clímax en el Sinaí porque descubren 1) quiénes son como pueblo de Dios; y 2) cómo mantener una relación vivificante con Dios en la Tierra Prometida.

Así que, si vamos a leer Génesis como lo hubieran hecho los

---

1 No creemos que Dios sea masculino, pero los israelitas antiguos que escribieron estas historias, sí. Hacemos lo mejor posible para evitar pronombres masculinos cuando nos referimos a Dios, aunque por momentos se siente menos extraño usarlos. Cuando se usa el nombre propio Yahvé, los pronombres masculinos son más fáciles de justificar.

israelitas antiguos, tenemos que leerlo como una historia que nos impulsa a eventos dramáticos y climatológicos en el monte Sinaí. No deberíamos estar sorprendidos de encontrar en él algunos de los mismos temas que encontramos en Sinaí. Una y otra vez, en Génesis, nos topamos con pistas de a dónde se dirige la historia.

Si los eventos en Sinaí son el clímax del Pentateuco, el mensaje del Pentateuco es este:

〜〜〜〜〜〜〜〜〜〜〜〜〜〜〜〜〜〜〜〜

Escucha, Israel. Yahvé es el creador del cosmos. También te redimió de Egipto y te prometió la tierra de Canaán como un hogar. Tú eres su pueblo y solamente él es tu Dios, digno de tu completa devoción.

〜〜〜〜〜〜〜〜〜〜〜〜〜〜〜〜〜〜〜〜

Hacia esto se dirige la historia del Pentateuco y es la razón de que los eventos del Sinaí sean tan centrales. Las historias del Pentateuco recuerdan a Israel —e, incluso, lo amonestan— que solo Yahvé —y no otro dios— debe ser adorado. Adorar a otros dioses en el mundo antiguo —siendo que cada casa, villa, y nación tenía su propia lista de favoritos— era tan fácil como para nosotros decidir en qué restaurante comeremos. Pero, en el medio de toda esta elección de dioses, el Pentateuco les recuerda a los israelitas que ellos deben permanecer leales a un Dios, que solo Yahvé es digno de adoración. ¿Por qué?

Porque solo este Dios es 1) el creador del mundo; y 2) el
salvador de Israel.

Está bien, pero, ¿dónde encaja Génesis? Génesis prepara el escenario al enfocarse en 1, haciendo alusión a 2. El resto del Pentateuco se enfoca en 2 (el éxodo desde Egipto), mientras nos recuerda 1. Y una vez que sales del Pentateuco, mucho del Antiguo Testamento sigue centrándose en estos dos temas (por lo general, al mostrarnos cómo Israel tiende a olvidarlos). Génesis nos introduce a Dios como el creador y nos da anticipos de Dios como el salvador. En realidad, veremos que crear y salvar son dos caras de la misma moneda.

Para resumir, estamos diciendo que Génesis, para ser entendido apropiadamente, tiene que leerse como una historia. Pero el relato que encontramos allí fue escrito en un mundo que lucía muy diferente al nuestro. Si vamos a leerlo bien, también debemos hacerlo a través de ojos *antiguos*.

Génesis es antiguo

Es más fácil entender lo que estás leyendo si sabes *cuándo* fue escrito y bajo qué *circunstancias*. *Rebelión en la Granja,* de Orwell, podría tener sentido como una linda (más bien, perturbadora) historia sobre animales que hablan. Pero saber *cuándo* fue escrita (1945) y las *circunstancias* que la llevaron a ver la luz (una crítica al régimen opresor comunista de Joseph Stalin) nos alertará que el libro, en realidad, es una alegoría. Si no te das cuenta de eso, te pierdes de todo el punto. En otras palabras, saber al menos algo del contexto histórico de una historia —cuándo fue escrita y bajo qué circunstancias— te hace un mejor lector.

Esto también aplica a Génesis.

El hecho de que Génesis esté en la Biblia no quiere decir que lo podamos leer como nos plazca. Y, ciertamente, tampoco quiere decir que las historias hayan sido escritas teniendo en mente a los lectores del siglo XXI. Ya sea que pensemos que fue escrito por los israelitas antiguos o incluso por Dios *para* los israelitas antiguos, no cambia el hecho de que fue escrito hace mucho, mucho tiempo, en un lenguaje que ahora está básicamente muerto (los israelíes de la actualidad hablan una forma diferente del hebreo). Es realmente viejo y, si lo vamos a leer bien, tenemos que hacer ajustes en nuestro pensamiento.

¿Cuán antiguo es Génesis?

Entonces, ¿cuándo, exactamente, fue escrito Génesis en el mundo antiguo? ¿Qué estaba sucediendo en la vida de los israelitas o en el mundo alrededor de ellos? Aquí nos topamos con nuestro primer problema, el más común con cualquier otra porción de la literatura antigua: Génesis es un libro anónimo.

Génesis no tiene título de página ni nombre de autor; no tiene una fecha de publicación estampada ni página de dedicatorias. Las tradiciones judías y cristianas han etiquetado, en líneas generales, a Moisés como el autor del Pentateuco (después de todo, es el personaje principal). Pero hay algunas muy buenas razones por las que esa etiqueta no se pegará, y los académicos bíblicos han estado hablando sobre ellas durante los últimos trescientos años (y algunos judíos y cristianos mucho antes que ellos).

Por un lado, sería un poco espeluznante que Moisés haya escrito el Pentateuco, ya que registra su muerte y entierro (Deuteronomio 34). El escritor, incluso, nos cuenta que "hasta este día" nadie sabe dónde está enterrado Moisés (34: 7) y que desde los días de Moisés no se ha levantado nadie como él (34: 10-12). Suena como si hubiese sido escrito mucho tiempo después de la muerte de Moisés por alguien que miró atrás y se propuso recordar los buenos tiempos.

En realidad, todo el Pentateuco se lee como una historia sobre el pasado lejano, con Moisés y otros personajes de los que se habla en tercera persona: el Pentateuco es una historia *sobre* Adán, Noé, Abraham, Isaac, Jacob, José y *sobre* Moisés y los israelitas que abandonaron Egipto y fueron al monte Sinaí. Es un poco raro pensar en que Moisés habló de sí mismo en tercera persona (solo los deportistas hacen eso). Además, en una parte del Pentateuco leemos que era el más humilde de todos en la tierra (Números 12: 3). ¿Un hombre verdaderamente humilde escribiría eso de sí mismo? Tiene más sentido decir que alguien describió a Moisés como humilde más tarde.

Hay otras razones que nos indican que Moisés no escribió el Pentateuco, pero no necesitamos tomarnos el tiempo para eso ahora. Aunque, si mueres por saberlo, chequea los libros que recomendamos en la sección "Para más lectura", al final. La verdadera pregunta es: "¿Quién lo escribió y cuándo vivió?".

Para contestar esa pregunta, los académicos han tenido que dedicarse al trabajo de investigación histórica. Sus habilidades como detectives los guiaron a acordar que el Pentateuco *como lo conocemos* no se compiló hasta luego del 539 a. e. c[2] (aproximadamente

---

2 Antes de la era común.

700-1000 años después del periodo de Moisés). Este es un año significativo para los judíos. El año 539 a. e. c es cuando el rey persa Ciro venció a los babilonios, liberando así a los israelitas que habían estado cautivos desde el 586 a. e. c.

Cuando decimos que el Pentateuco *como lo conocemos* se compiló en algún momento después del 539 a. e. c., no queremos decir que fue escrito desde cero durante ese tiempo. Ciertamente, había escritos más antiguos y tradiciones orales que habían estado dando vueltas por allí durante cientos de años. Pero fue un tiempo después de que los israelitas regresaran a su tierra natal que estos textos más antiguos y las tradiciones orales fueron compiladas y editadas en la forma en que ahora las tenemos en nuestra Biblia. Así que, más que mirar al Pentateuco como una canción escrita por un artista en determinado momento, debería ser visto como un compilado que toma muestras del trabajo de otro y las reúne de manera fresca para contar una sola historia. Esto también aplica a Génesis.

¿Por qué alguien llegó a esta conclusión? Porque en Génesis hay evidencias que lo indican, algunas de las cuales han sido descubiertas por lectores judíos y cristianos a lo largo de cientos de años.

Por ejemplo, en la historia de Abraham (Génesis 12: 6 y 13: 7) leemos que los cananeos estaban viviendo en la tierra "entonces" o "en ese tiempo". Si estaban viviendo en la tierra "entonces", tiene sentido que el autor haya escrito en un tiempo donde los cananeos aún estuvieran allí. Y, según la historia bíblica, no fue hasta los días del Rey David y Salomón que el último elemento cananeo fue efectivamente expulsado. Es decir que fue en algún momento después del 1000 a. e. c. Así que aquí tenemos una pista de que, al menos esa parte de Génesis, proviene de algún momento después del 1000 a. e. c., aunque nos esté contando una historia situada en los días de Abraham (aprox. 2100 a. e. c., tal como la Biblia lo presenta).

Otro ejemplo es Génesis 36, donde leemos una lista de los reyes de Edom. El escritor introduce la lista de esta forma: "Estos son los reyes que reinaron en la tierra de Edom antes de que cualquiera reinara sobre los israelitas". El escritor dice "antes de que cualquiera reinara" porque ha vivido durante o después del tiempo en el que los israelitas tuvieron reyes, lo que, una vez más, no sucedió hasta aproximadamente el año 1000 a. e. c.

Por estas y otras razones, los académicos creen que la historia de Israel empieza a ser escrita alrededor del tiempo del rey David. Fue entonces cuando los israelitas estuvieron bastante asentados en la tierra de Canaán y gozaron de relativa paz y tranquilidad para pensar las cosas. Y ahora que eran una nación, empezaron a guardar registros (que fueron los libros fundacionales como 1 y 2 Samuel y 1 y 2 Reyes, que cuentan los reinados de los reyes de Israel) y escribieron sus canciones de adoración (Salmos). Probablemente, también empezaron a escribir sus propias historias orales antiguas, registrando sus tradiciones de cientos y cientos de años atrás.

La catástrofe nacional de Israel

Como mencionamos, la historia escrita de Israel empezó probablemente cerca del tiempo del rey David, pero entró en hipervelocidad cuando los israelitas pasaron por el trauma del exilio al ser arrastrados desde su país hacia Babilonia en el siglo VI a. e. c. ¿Por qué eso provocaría que no escribieran más? Los israelitas creían que Dios les había prometido, años atrás, darles la tierra de Canaán para que fuera suya por siempre. También prometió que tendrían una línea de reyes descendientes del rey David que reinaría desde Jerusalén para siempre (puedes leer sobre esto en 2 Samuel 7). Pero Israel (en especial, sus reyes) había despreciado a Dios durante tanto tiempo que, según cuenta la historia, Dios los entregó a sus enemigos, los babilonios, que recientemente se habían convertido en una superpotencia.

Los babilonios marcharon hacia Jerusalén y, para el 586 a. e. c., habían arrasado el templo —la casa sagrada de Dios— y habían tomado cautiva a gran parte de la población. Así que Israel miró a su alrededor. Sin rey. Sin tierras. Sin templo. ¿Quién es Israel sin rey, tierra ni templo? Parecía como si Dios hubiese roto su promesa y abandonado a su propio pueblo.

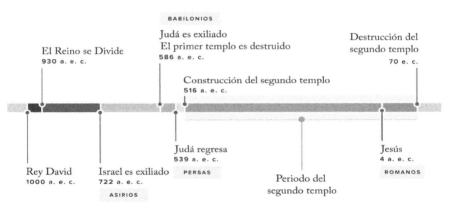

Entonces, no es difícil de imaginar por qué los israelitas decidieron hacer un examen de conciencia. Miraron hacia atrás, a su pasado antiguo, para encontrar algo de sentido a la tragedia de su historia reciente. "En vista de todo lo sucedido, ¿aún somos el pueblo de Dios? ¿Yahvé todavía se preocupa por nosotros? ¿Cómo podemos estar seguros de que esto no nos volverá a suceder? ¿Alguna vez recuperaremos la gloria de nuestro pasado?". Para abordar estas preguntas tan reales y apremiantes, empezaron a recontar su historia por última vez. Esa "última vez" se convirtió en lo que los cristianos llaman Antiguo Testamento.

Piensen en el Antiguo Testamento como la historia de Israel, escrita a la luz del trauma nacional, para alentar a la fidelidad continua hacia Dios.

El Pentateuco relata cómo comenzaron los israelitas y cómo Dios se apegó a ellos y les dio el regalo de la ley y el tabernáculo en el monte Sinaí. También les recuerda cómo se metieron en este lío: fallaron en ser fieles a Dios, quien fue fiel a ellos. Renovar el compromiso para con su Dios fiel era el tema principal ahora que estaban de vuelta en casa después del exilio. El Pentateuco los animó a creer que siempre se podía contar con la fidelidad de Dios, sin importar qué pasara.

El Pentateuco es la constitución de Israel: "Esto es quienes somos, de aquí provenimos, esto es lo que creemos; y, lo más importante, así es nuestro Dios. Él siempre ha sido fiel en el pasado, no importa cuánto lo hayamos arruinado. Además, nos manda a ser fieles. Asegurémonos de recordar todo esto para que nunca más seamos raptados por otra nación". Los israelitas fueron humillados y permanecieron cautivos por los babilonios durante unos cincuenta años. Añade a la mezcla el hecho de que una o dos generaciones nacieron en Babilonia durante el exilio, lo que significa que probablemente no tenían ninguna conexión personal con el pasado. Cuando lo pones así, un libro que une pasado y presente es una gran idea.

Piensen en los inmigrantes del este de Europa que se dirigieron a EEUU con el recuerdo "del viejo país" y que, una generación después, sus descendientes se tatúan a Metálica y se ponen *piercings* en el cuerpo. La posibilidad de ceder a las costumbres babilónicas —y a sus dioses— era una presión constante. Así que no es sorpresa que algunas de las historias del Génesis parezcan ser explícitamente antibabilónicas. Veremos ejemplos mientras avancemos.

Entonces, como leemos, Génesis depende de que conozcamos estas circunstancias tal como saber sobre Stalin es vital para entender *Rebelión en la Granja*. Saber que Génesis, así como lo tenemos en nuestras Biblias, está escrito como parte del Pentateuco, y que el Pentateuco está escrito como la constitución de Israel a la luz de los eventos traumáticos de su exilio en Babilonia, nos ayuda a leer esta historia con ojos antiguos.

Como una analogía, piensen en la Declaración de Independencia de los Estados Unidos. Este documento estableció la identidad nacional estadounidense y fue escrito en un tiempo de crisis para *oponerse* a los "opresores" británicos (con todas las disculpas correspondientes a nuestros amigos ingleses). Si no conoces el trasfondo, sería difícil entender por qué la Declaración de Independencia suena así. Imagina que un arqueólogo desentierra la Declaración de Independencia dentro de 5000 años, sin conocer nada sobre Estados Unidos y su lucha por la independencia. Sin un conocimiento trabajado de a qué se estaban oponiendo los colonos, las palabras de su Declaración no solo pierden mucha de su fuerza sino que también se prestan a malinterpretaciones groseras. Del mismo modo, cuando vemos que el Pentateuco, la

"Constitución" de Israel, está en parte escrita como una respuesta teológica al cautiverio babilónico, algunas piezas importantes encajan en su lugar.

Nos hemos pasado este capítulo diciendo algo simple: no puedes entender apropiadamente Génesis sin, primero, verlo en *su* contexto, no en el nuestro. Génesis no es solo el comienzo de la historia de Israel que debería ser leído en conversación con el resto de ese relato, sino que es también una historia contada a través de los ojos de un pueblo antiguo en crisis nacional. Realmente, la Biblia tiene una historia que contar y un punto qué demostrar, y todo comienza por el principio. Manteniendo esto en mente, pasemos al primer libro de nuestra Biblia: Génesis.

CAPÍTULO 2

Génesis desde treinta mil pies de altura

Ahora que hemos establecido que Génesis es una historia antigua, hagamos un breve recorrido de hacia dónde nos dirigimos. Es un libro de cincuenta capítulos. Nos lleva desde Adán hasta José, desde la creación del cosmos a la entrada de Israel en Egipto. Generalmente, estos cincuenta capítulos están divididos en dos secciones principales: Génesis 1–11 y Génesis 12–50.

Pero, antes de proseguir, tenemos que hacer una confesión. Si realmente estuviésemos leyendo Génesis a través de ojos antiguos, deberíamos deshacernos completamente del concepto de "capítulos". Los israelitas antiguos no tenían capítulos o versículos con números. Siglos después, monjes cristianos se los añadieron para ayudar a los lectores a encontrar su camino a través de la Biblia. Y estamos más que agradecidos a estos benditos monjes. Imagina tratar de encontrar un pasaje sin capítulos o versículos numerados. Pero la Biblia no empezó de esa forma.

En lugar de capítulos, Génesis introduce nuevas secciones con alguna frase como "Este es el relato de", "Estos son los descendientes de" (como en la LPD), o "Estas son las generaciones de". No importa cómo esté traducida, esta frase es exactamente igual en hebreo, y aparece diez veces en el libro, dividiéndolo así en diez secciones. Seis se encuentran en los capítulos 1–11, y las otras cuatro en los capítulos del 12–50. Y aquí están:

Génesis 2:4: "Este es el relato de los cielos y la tierra..."

Génesis 5:1: Linaje de Adán

Génesis 6:9: Linaje de Noé

Génesis 10:1: Linaje de los hijos de Noé

Génesis 11:10: Linaje de Sem (uno de los hijos de Noé)

Génesis 11:27: Linaje de Taré (el padre de Abraham)

Génesis 25:12: Linaje de Ismael (hijo de Abraham de la esclava Agar)

Génesis 25:19: Linaje de Isaac (hijo de Abraham de su esposa Sarah)

Génesis 36:1: Linaje de Esaú (hijo mayor de Isaac)

Génesis 37:2: Linaje de Jacob (hijo menor de Isaac, renombrado Israel)

Estas diez secciones tienen mucho sentido si recordamos que Génesis es el comienzo de la historia de Israel. Génesis nos lleva a Jacob, que será renombrado Israel, y a sus hijos, que serán los patriarcas de las doce tribus de Israel.

Si vamos a leer Génesis con ojos antiguos, necesitamos mantener estas diez secciones en mente mientras nos movemos por los cincuenta capítulos con los que estamos familiarizados.

De hecho, la división por capítulos y versículos que le dieron los monjes a veces interrumpen el flujo de la historia, haciéndonos pensar que hay una pausa cuando no la hay (¿en qué estaban pensando estos monjes?). Así que, aunque nos apegaremos a los cincuenta capítulos tradicionales que todos llegamos a conocer y amar (y de los que hemos llegado a depender), queremos mantener en mente que estas diez secciones son las mejores guías a las historias que encontramos en Génesis y nos ayudan a ver cómo todas se mantienen conectadas y a recordar a dónde se está dirigiendo la historia.

Génesis en 571 palabras

La parte uno de Génesis —capítulos 1 al 11— nos cuenta la historia de la creación del cosmos, de Adán y Eva, del asesinato de su hijo Abel por su hermano mayor, Caín, del arca de Noé y de la torre de Babel. Se intercala un árbol familiar y una lista de naciones después del diluvio.

Estos once capítulos son más familiares —y más controversiales— que cualquier otro de Génesis. Son también los más malinterpretados, lo que representa una gran vergüenza. Así como los primeros capítulos de tu novela favorita, esta sección establece algunos temas claves que aparecerán a lo largo de Génesis como en el resto del Pentateuco. Hacer las preguntas equivocadas aquí llevará a mayores confusiones luego.

Los capítulos 1 al 11 nos preparan para la segunda parte de Génesis del mismo modo que las películas, a menudo, tienen una secuencia de apertura dramática para capturar tu atención y darte algo del trasfondo de lo que está por suceder. Uno de los mejores ejemplos lo podemos ver en la película *Up*. La secuencia de apertura pone en marcha todo el andamiaje de la historia en tan solo un minuto. Brillante. Luego muestra el título y los créditos, seguido del comienzo de la narrativa principal.

Génesis 1 al 11 es la secuencia de apertura que llama tu atención y provee el escenario para Genesis 12 al 50, la historia de Israel desde Abraham hasta Egipto; de un simple hombre a todo un pueblo o, más específicamente, a un gran clan. (No se convertirán en una nación o reino hecho y derecho hasta que los israelitas abandonen Egipto y se instalen en Canaán, muchos siglos después). Pero toda nación tiene comienzos humildes y el comienzo de Israel está contenido en Génesis 12 al 50. Allí, vemos cómo un hombre mesopotámico (ni más ni menos que de Babilonia) llamado Abraham (aquí, todavía se llama Abram) es elegido por Dios (sin explicación) para dejar su hogar y viajar a Canaán con su esposa, Sarah (por ahora, Sarai).

Abraham fue llamado por Dios y recibió dos promesas: gente y tierra. Génesis 12 al 50 es una historia de los altibajos de Israel y de cómo toda esta gran novela, que parece una montaña rusa, termina dando resultado. ¿A dónde va esta doble promesa de descendencia y tierra? ¿Dios tendrá éxito si Israel sigue comportándose mal? ¿Seguirá repitiéndose el patrón de terquedad y desobediencia descritos en los capítulos del 1 al 11? ¿Cómo manejará Dios todo esto?

Una vez que pasamos la historia de Abraham e Isaac, se nos presenta la de Jacob, el nieto de Abraham. Aquí, en medio de historias de engaño, complots para asesinar y la búsqueda de una esposa, encontramos que la promesa está viva en este hijo, de forma aparentemente imposible. Dios cambia el nombre de Jacob a Israel, lo que pone la historia de Génesis en foco. Los doce hijos de Israel son los ancestros de las doce tribus de Israel, la nación que ocupará el escenario central para el resto del Antiguo Testamento.

El último tercio de Génesis lleva nuestra atención a uno de esos hijos: José. Arrojado a un pozo por sus hermanos, termina en Egipto con un poder casi supremo. Después de un drama familiar que nos mantiene al borde de nuestros asientos (que *Dreamworks* usufructuó felizmente), Génesis termina con la muerte de Jacob, y los doce hijos, con sus familias, en Egipto. Obviamente, esta es la preparación perfecta para la secuela que encontramos en la famosa historia de Éxodo (otra que *Dreamworks* convirtió en vil metal, aunque aún preferimos a nuestro Moisés que luce como Charlton Heston[1] en lugar de parecerse a un *Backstreet Boy*).

---

1 Actor estadounidense, famoso por sus interpretaciones como Moisés (en *Los diez mandamientos*) y en cine épico como Judah Ben-Hur (en *Ben-Hur*)

Una historia centrada en sí misma

Y esa es la versión enlatada de Génesis que, con viento a favor, nos ayudará mientras nos metemos cada vez más en los detalles de la historia. Pero, antes de hacerlo, queremos señalar algunos puntos de referencia que nos ayudarán a recordar que estamos yendo por el buen camino. Si esta es realmente una historia sobre Israel, editada por israelitas que volvieron del exilio preguntándose acerca de su relación con Dios, deberíamos esperar encontrar algo así en la historia. Y lo hacemos.

Génesis se trata de Israel como recipiente de la promesa de Dios, que incluye personas y tierras. Manteniendo nuestros ojos abiertos y tratando de leer como lo haría un israelita antiguo, tal vez nos sorprenda cuán a menudo aparecen estos temas de la tierra y las personas. En realidad, veremos la *pelea* entre Israel y Dios sobre las tierras y las personas.

En cada punto de la historia, nos encontramos leyendo sobre alguna lucha: en la creación (bueno, lo explicaremos en el próximo capítulo), en Adán, Caín, Noé y Abraham y su descendencia. Los hermanos, especialmente, parecen pelear mucho. Si necesitamos estar más convencidos de que la lucha es un gran problema en Génesis, miremos a Jacob. Literalmente, él lucha con Dios. Su nuevo nombre —*Israel*, que se nos relata en Génesis 32: 28— refleja como Jacob "peleó con Dios y con los humanos y prevaleció" (*Israel* viene de una palabra que significa *pelear*). Esto es exactamente lo que esperaríamos de una historia escrita por israelitas exiliados que están luchando con sus condiciones actuales y, en última instancia, con su mismísima identidad.

Por último, deberíamos darnos cuenta de que estas historias

están tratando de conectar a una audiencia exiliada con su pasado antiguo. Estos israelitas no estaban interesados en leer sobre Noé y el diluvio porque la consideraran una historia genial o porque tuviera un gran principio para la vida. No estaban interesados en tratar de averiguar "lo que sucedió en realidad", como un historiador moderno podría querer. Escribían y leían estas historias para entender su propia relación con Dios. Encontraremos varios lugares donde estas historias nos cuentan mucho acerca de cómo se veían a sí mismos los israelitas posteriores.

La relación de Dios con Israel. Personas. Tierra. Luchas. Todo desde un punto de vista posterior. Esta es la historia de Génesis.

CAPÍTULO 3

Génesis 1: Yahvé es mejor

Cuando leemos a través de ojos antiguos, podemos darnos cuenta de que el comienzo de Génesis es bastante dramático, aunque también podemos llegar a estar demasiado familiarizados con la historia como para verlo de ese modo.

Los cristianos están entrenados para pensar que Génesis comienza con Dios haciendo aparecer una bola cósmica de plastilina de *la nada*. Sin embargo, no parece ser lo que pasa en Génesis 1 y no suena como una historia que los israelitas antiguos hubieran contado acerca de los métodos creativos de su Dios. Ahora, es cierto que algunos pasajes del Nuevo Testamento, como Colosenses 1: 16 y Hebreos 11: 3 (quizás bajo la influencia de las formas del pensamiento griego), mencionan que Dios crea algo de la nada. Por otro lado, 2 Pedro 3: 5 habla sobre la creación de forma similar al Israel antiguo: "… una tierra brotada del **agua** que tomó consistencia en medio de las **aguas**".

Así que, de inmediato, en los primeros dos versículos de Génesis, tenemos que trabajar duro para dejar atrás el mundo moderno y descubrir exactamente lo que está sucediendo.

~~~~~~~~~~~~~~~~~~~~~~~~~~~~~~~~~~~~~~~

*Al principio, cuando Dios creó el cielo y la tierra, la **tierra era caótica** y las tinieblas cubrían **el abismo**, mientras el soplo de Dios se cernía **sobre las aguas**.*

~~~~~~~~~~~~~~~~~~~~~~~~~~~~~~~~~~~~~~~

A pesar de las palabras "al principio", parece como que Dios camina en medio de algo. Es porque *es así*. No comenzamos con un montón de "nada" (como se nos puede haber enseñado), sino con una tierra vacía y un misterioso "abismo", que, al final de este pasaje, descubrimos que es lo mismo que las "aguas". ¿Confuso?

Ahora puedes ver porqué nos pasamos una buena cantidad de tiempo haciendo hincapié en que es una *historia antigua* escrita por y para *israelitas*. Si está escrita por y para israelitas, necesitamos verla desde su punto de vista. Así que, si queremos entender esta historia, tenemos que suspender nuestras perspectivas del universo, la ciencia y la historia propias del siglo XXI y entrar en su mundo. Si te resulta extraño, pruébalo por unos minutos, incluso si te hace sentir un poco inseguro. Porque lo que encontramos es que este nuevo y extraño modo de ver la apertura de Génesis habría tenido mucho sentido en el mundo antiguo.

El caos tiene una semana difícil

Ninguna historia del mundo antiguo sobre la creación empieza con *nada* y se dirige hacía *algo*. Estos antiguos contadores de historias no parecían interesados en explicar cómo empezó el universo, al menos no de un modo científico. En realidad, no estaban pensando en un "universo" en lo absoluto, sino en el cosmos, como veremos en un momento. Tal vez estemos tentados a preguntar *¿De dónde vinieron esta tierra y abismos desolados, si Dios no los creó de la nada?* La respuesta está en Génesis 1 (el silencio es interrumpido por... cantos de grillos).

No se nos dice. Acostúmbrate a ello (será una respuesta recurrente). En su lugar, esta historia se concentra en una tierra "caótica" o, como dicen algunas traducciones, un "vacío sin forma", y el agua parece tener algo que ver.

La frase hebrea "vacío sin forma" es *tohubohu*, que no es un nuevo tipo de comida *gourmet* elitista, sino dos palabras hebreas que han sido combinadas para formar otra que, de hecho, ha llegado hasta el inglés (no es broma; si entiendes el idioma, puedes buscarla). *Tohu* significa sin forma y *bohu* significa vacío. En inglés, la frase designa algo completamente *caótico*. Y cuando usamos la palabra "caos" (en lugar de "nada") para lo que encontramos al comienzo de Génesis, estamos empezando a entender la mentalidad antigua sobre el método creativo de Dios.

En el mundo antiguo de los tiempos bíblicos, los dioses no "creaban de la nada". El mundo se ve como lo conocemos porque los dioses domesticaron el caos. Génesis es la historia israelita acerca de quién es el responsable. La singularidad del Dios de Israel —en una mentalidad antigua— no está en que crea de la nada, sino en el poder raudo e invencible que despliega para superar el caos en el lapso de una semana laboral. La historia de Israel contrasta con las historias de sus vecinos, tal como veremos en un momento.

Entonces, ¿cómo hace Dios para domesticar el caos? Primero, donde no hay "forma" (*tohu*), Dios hará espacio habitable y ordenado. Y donde hay vacío (*bohu*), Dios lo llenará. En los tres primeros días, Dios *crea el espacio* y en los tres siguientes, *llena el espacio*. Todo el capítulo está estructurado como una respuesta al problema del "vacío sin forma" que vemos en los versículos 1 y 2. Cuando observamos la escena de apertura de Génesis de este modo, encontramos que el sexto día de la creación tiene algo de sentido. No se trata de cómo Dios crea el universo de la nada ni de una alegoría de la evolución. En su lugar, estos días nos muestran cómo el Dios de Israel ordena el caos.

Imagina que tienes una noche de juegos en tu casa y tu familia quiere jugar al Monopolio. Pero, para tu pesar, la mesa de la cocina está llena de correspondencia con publicidad, mochilas, migajas y un sándwich olvidado, listas de compras y manchas pegajosas del desayuno. No puedes jugar hasta que hagas lugar para el tablero, las pilas de dinero y acomodes asientos para que todos puedan ubicarse alrededor de la mesa. Entonces, comienzas a limpiar el desorden para que el lugar esté en condiciones. Todavía no juegas. Solo creas el espacio. Después de toda esta preparación, estás listo para poner las cosas en su lugar: el tablero va aquí, el dinero por allí, las piezas acá, un lugar para los bocadillos y las bebidas y, por supuesto, todos se acomodan alrededor de la mesa.

Es una escena similar a la de Génesis 1: Dios pone las cosas en orden (días 1 al 3) antes de preparar el juego y jugar (días 4 al 6).

Comenzamos Génesis con una mesa de cocina abarrotada, un océano oscuro y agitado, y el abismo. Y nos preguntamos *¿Cómo es que Dios creará la belleza que vemos en el mundo hoy a partir de este desastre?* Y, justo como la noche de juegos de la familia, durante los primeros tres días de la creación, Dios "ordena el caos" al crear espacio para algo nuevo. Y luego, en los siguientes tres, "coloca las piezas" en este nuevo espacio creado.

En el día 1, Dios "crea un espacio" para el sol, la luna y las estrellas al separar la luz de la oscuridad. Noten que no crea el sol, la luna y las estrellas (lo que nos da luz) hasta el día 4 (en realidad, la luna *refleja* la luz, pero los israelitas no sabían eso). En el día 1, él "despeja la mesa" para que haya lugar para el sol, la luna y las estrellas en el día 4. Eso es, él "crea orden desde el caos" para luego llenarlo.

En el día 2, Dios crea un lugar para las aves y las criaturas del mar (básicamente, cosas que para una mentalidad antigua no necesitan tierra seca) al separar "las aguas de arriba de las aguas de abajo" con lo que es llamado un "firmamento" o, en algunas traducciones, una "expansión" o "domo". En un momento, veremos cómo deberíamos pensar este "firmamento". Pero, por ahora, lo importante es que hace esto para, en el día 5, llenar este nuevo "espacio" creado con las criaturas del mar y las aves. Luego, en el día 3, mueve los océanos a un lado para permitir que aparezca la tierra seca, de modo que en el día 6 pueda crear animales terrestres y, finalmente, humanos.

DÍAS 1-3	DÍAS 4-6
Dios "crea espacio"	*Dios llena el espacio*
Separa la luz de las tinieblas	Llena el espacio con el sol, la luna y las estrellas
Separa las aguas de arriba y abajo	Llena el espacio con las criaturas del mar y las aves
Mueve los océanos para crear espacio en tierra firme	Llena el espacio con los animales y los humanos

Tabla 3.1 Comparación de la creación en Génesis

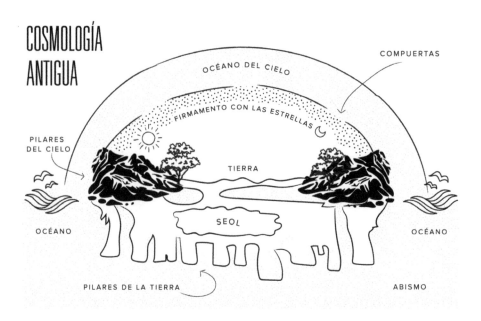

Así es como los antiguos entendían la cosmología

Esta es la imagen general que tenemos de Génesis 1. Empezamos con caos, con *tohubohu* y, para el momento en que llegamos al final del capítulo, tenemos aire, tierra y mar, y todas esas cosas llenan los espacios. El caos es ordenado y el cosmos es llenado. Dios ha terminado su trabajo, con poco esfuerzo, en seis días.

Ahora que tenemos el panorama completo, hay algunos detalles que el narrador de la historia quiere que veamos.

Un recordatorio para Israel y una bofetada para el resto (especialmente para los babilonios)

¿Recuerdan el primer capítulo, donde mencionamos que Génesis tiene tintes babilónicos? Si el Génesis se formó en gran medida como una respuesta al trauma de Israel en Babilonia, no debería sorprendernos encontrar indicios de eso por aquí y por allá (tal vez con uno o dos golpes destinados a sus captores en el proceso).

Por ejemplo, los babilonios, captores de Israel, eran buenos en astrología, y el sol, la luna y las estrellas podrían haber sido sus dioses (aunque los eruditos no están seguros de eso). Lo que sí *es* claro es que se creía que los cuerpos celestes predecían el futuro de aquellos que sabían leerlos. Pero, para los israelitas, los cuerpos celestes no tenían la misma utilidad. En su lugar, estaban "para ser señales, para las temporadas, para los días y para los años" (v. 14). Esto quiere decir que eran agentes pasivos que servían a Dios como marcadores del tiempo, no como predictores de lo que había de venir.

De hecho —a pesar de que esto nos desvía un poco del enfoque de este libro—, el tiempo que marcan los cuerpos celestes no es cuándo comienza el invierno o cuándo es hora de irse a la cama. Indican el tiempo del año litúrgico de Israel. *Temporada* es la misma palabra usada en el Pentateuco para referirse a los "tiempos señalados" de los festivales religiosos de Israel, mandados por Dios (un ejemplo es Éxodo 23: 15). En otras palabras, los cuerpos celestes están puestos en su lugar por Dios para hacer un seguimiento de cómo los israelitas debían adorarlo. Comparado con lo que pensaban los babilonios y otros pueblos antiguos, el Dios de Israel les quita un poco de relevancia.

ENÛMA ELISH	GÉNESIS 1
La materia existe independientemente del espíritu divino. Génesis 1 no describe la creación desde la nada, sino el establecimiento del orden desde el "caos".	
La oscuridad precede a la creación.	
El símbolo del caos es la diosa Tiamat.	En hebreo, el símbolo del caos es *tehom* ("las profundidades"), que está relacionado con Tiamat.
La luz existe *antes* de la creación del sol, la luna y las estrellas.	
Marduk filetea el cuerpo de la asesinada Tiamat, y usa la mitad para formar una barrera para evitar que las aguas escapen.	Describe la barrera no como una diosa asesinada, sino como una cúpula sólida ("firmamento") para mantener a raya las aguas de arriba.
La secuencia de los días de la creación es similar, incluyendo la creación del firmamento, la tierra seca, las luminarias, la humanidad, y luego el descanso.	

Tabla 3.2 Comparación entre "Enûma Elish" y Génesis 1, adaptado de "The Evolution of Adam", página 39.

Otro golpe a los babilonios y a otras religiones es que el Dios de Israel trabaja solo. En la historia babilónica, *Enuma Elish*, muy relacionada con la historia de la creación en Génesis, tenemos una telenovela. El dios Marduk tiene un pleito de larga duración con su abuela, Tiamat. Aparentemente, esta familia divina disfuncional no creía en la consejería, así que arreglaron sus diferencias con Marduk cortando a Tiamat a la mitad (en realidad, fileteándola de arriba abajo). Con la mitad de su cuerpo, forma la barrera que separa las aguas (el "firmamento" en Génesis). Pero el Dios de Israel es el Dios grande y poderoso. Él crea por sí mismo el cosmos, y sin esfuerzo. No hay debate ni batalla, mientras que la historia de creación babilónica se parece a un episodio de Jerry Springer.[1]

Además, los humanos son creados como el mayor logro de Dios. Es solo después del día 6 que Dios declara que lo que había hecho era "muy bueno" (no simplemente "bueno", como en días previos). Eso es porque los humanos portan la imagen y semejanza de Dios (Génesis 1: 26). En el mundo antiguo, los reyes ponían imágenes de ellos mismos en lugares remotos de su reino para que sus súbditos supieran que él estaba "ahí", aun si se encontraba lejos. Además, los reyes eran considerados portadores de la imagen divina, gobernadores de las personas en el lugar de Dios.

De todos modos, en Génesis 1 todos los humanos tienen este mismo estatus real; ellos representan a Dios en el mundo al gobernar sobre toda la creación.

---

1 Presentador de *The Jerry Springer Show*, un programa donde se muestran historias de personas reales pero extrañas, historias semejantes a las que se ven en las telenovelas: infidelidad, engaños y, a veces, violencia. (N. del T.)

~~~~~~

Y los bendijo, diciéndoles: "Sean fecundos, multiplíquense, llenen
la tierra y sométanla; dominen a los peces del mar, a las aves
del cielo y a todos los vivientes que se mueven sobre la tierra"
(Génesis 1: 28).

~~~~~~

De hecho, el estatus de la humanidad es tan alto que, después (mucho después del exilio de Babilonia), los judíos escribieron historias sobre cuán enojados estaban los ángeles por el hecho de que a los humanos se les dio un estatus que rivalizaba con el suyo. Esto, incluso, se insinúa en la Biblia misma: "¿Qué es el hombre para que pienses en él, el ser humano para que lo cuides? Lo hiciste poco inferior a los ángeles, lo coronaste de gloria y esplendor" (Salmos 8: 56).

No se parece a otras historias de creación del mundo antiguo. En la historia de la creación babilónica, los humanos no son hechos a la imagen de Dios. En una historia llamada la "Épica de Atrahasis", los humanos son creados como una idea de último momento para hacer el trabajo duro para el que los dioses son demasiado buenos o, simplemente, demasiado perezosos. La elevación de los humanos como un todo, masculino y femenino, al nivel de portadores de la imagen divina, es un antiguo comentario israelita sobre la igualdad humana. Quizás, ser cautivos en un país extranjero les dio un sentido más claro del valor de la vida humana.

ATRAHASIS	GÉNESIS 2-8
Agricultura por irrigación.	Edén regado por irrigación.
Dioses menores (Igigi) como obreros originales	Yahvé como obrero original (planta el jardín)
Altos dioses (Anunnaki) disfrutan los privilegios del alto rango.	El jardín privado de Yahvé con árboles mágicos de la vida y la sabiduría.
Protohumanos (Lullû) creados como obreros, modelados a partir de arcilla y sangre de dios rebelde, implícitamente inmortales (sin muerte natural).	Humanos primitivos (ha'adam) creados para cuidar el jardín de Yahvé, modelados a partir de arcilla y aliento divino, potencialmente inmortales (árbol de la vida).
Institución del matrimonio.	Institución del matrimonio.
Lullû enoja a los dioses(por hacer mucho ruido).	Ha'adam se rebela contra Dios (al comer del fruto prohibido).
Lullû es castigado: la vida disminuye por la plaga, la sequía y el hambre.	Ha'adam es castigado: la vida disminuye por el exilio del jardín, la negación del acceso al árbol de la vida y el trabajo duro.
Como último recurso, el dios Enlil envía un diluvio para ahogar el sonido de la humanidad y controlar la sobrepoblación.	Yahvé envía un diluvio para castigar la perversión de la humanidad y limpiar la creación.
El dios Enki le dice a Atrahasis que construya un arca y escape del diluvio.	Yahvé le dice a Noé que construya un arca y escape del diluvio.
Atrahasis sobrevive al diluvio y ofrece un sacrificio.	Noé sobrevive el diluvio y ofrece un sacrificio.
Los dioses huelen el sacrificio y bendicen a los sobrevivientes; Enlil se reconcilia con la humanidad ruidosa.	Yahvé huele el sacrificio y bendicen la creación; Yahvé se reconcilia con la humanidad pecadora.
Se imponen limitaciones sobre la humanidad: los Lullû se convierten en humanos normales.	Se impone un límite de 120 años de vida a los humanos: los ha'adam se convierten en humanos normales.
Signo de la buena voluntad divina: collar de moscas de la diosa madre Nintu.	Signo de la buena voluntad divina: duración de las estaciones (y el arco de Yahvé [9: 12-17]).

Tabla 3.3: Comparación de "Atrahasis" y Génesis 2 9, "The Evolution of Adam", p. 54, adaptado de Daniel C. Harlow, "After Adam: Reading Genesis in an Age of Evolutionary Science" en Perspectives on Science and Christian Faith, 62.3 (Septiembre de 2010), p. 184.

Génesis 1 es una declaración antigua de fe que sostiene que solo el Dios de Israel es digno de la adoración de su pueblo. Por más tentador que haya sido seguir a los dioses de las naciones más fuertes, Génesis 1 se detiene y dice que este Dios de un pueblo cautivo es responsable de domar el caos y llenar el aire, el mar y la tierra. Tal fe alentaría a los israelitas a permanecer fieles a Dios, incluso cuando el pronóstico no fuese el mejor.

En otras palabras, Génesis 1 no fue escrito para aplacar nuestra curiosidad sobre cómo fue creado el universo. No fue escrito en código para mostrarnos que los israelitas tenían conocimientos básicos del *Big Bang*, el universo en expansión y la teoría de la relatividad de Einstein. Obviamente, ninguna persona antigua habría entendido esas nociones. Más bien, fue escrito para contarles a los israelitas que su Dios, y ningún otro dios de las otras naciones, era un domador de caos y, por lo tanto, este Dios y solo este Dios era digno de ser adorado. Y probaron su punto en términos antiguos, usando modos de pensar de su época.

Cuando los babilonios contaron historias de sus dioses enojados que conspiraban unos en contra de otros y se mutilaban entre ellos, los israelitas no respondieron: "¡Ja! Los babilonios y sus tontas historias. ¡¿No saben que toda esta cuestión sobre dioses es simplemente primitiva?! ¿No saben que, en realidad, no hay una estructura sólida sobre la tierra que mantiene a raya las aguas? ¿No saben que las estrellas están a miles de millones de años luz de distancia, que la tierra es una bola redonda y gira alrededor del sol, y que el universo se está expandiendo a un ritmo sorprendente? ¿De verdad? ¡Pónganse al día!".

En cambio, los israelitas usaron la visión del universo que *compartían* con sus contemporáneos para hacer una declaración de fe *única*: "Nuestro Dios, independientemente de lo que piensen de nosotros, un pueblo capturado, no es débil. De hecho, es más fuerte que todos sus dioses juntos".

Más tarde, en la historia de éxodo, veremos otro grito de guerra para los israelitas: "No solo él es el *creador*, sino que también es el *libertador*". La naturaleza creadora y libertadora de Yahvé separaba al Dios de Israel de todos los demás dioses, y es por eso que solo él podía esperar la íntegra devoción de su pueblo. Esta es la razón por la que adorar a los dioses de otras naciones era lo peor que los israelitas podían hacer, incluso si las personas de otras naciones cambiaran de dios como nosotros cambiamos de compañía telefónica. Génesis 1 elabora el caso de que abandonar al Dios de Israel era abandonar al creador mismo.

Denle algo de margen a los israelitas

A veces, los lectores modernos de Génesis 1 piensan que la historia es una reliquia pintoresca de una tonta cultura antigua. Otros piensan que tiene que ser rigurosamente científico e histórico porque es una parte de la Biblia. Ambas formas de pensar son una devaluación de la Biblia. Génesis 1 describe el cosmos en términos antiguos (que no debería ser difícil de aceptar para nosotros, dado que el libro fue escrito por y para israelitas antiguos).

Un buen ejemplo de cómo Génesis refleja una visión antigua del mundo ocurre en el día 2, cuando Dios crea el *cielo*. Pero no se parece nuestro cielo. Este cielo aparentemente es sólido (el "firmamento", que mencionamos antes). Una bóveda o domo de algún tipo que separa las *aguas de arriba* de la bóveda de las *aguas de abajo*. Trata de armar una carpa durante un aguacero torrencial (caótico). Para conseguir algo de refugio, te escabulles como puedes adentro y te acuestas. Luego, después de luchar un poco, colocas un poste en el medio y levantas el techo; y luego, colocas unos más cortos alrededor. Gracias al techo de la carpa, ahora estás a salvo, encerrado en una burbuja, protegido de las "aguas de arriba".

Otro aspecto visual que esperamos que sea útil es pensar en las "bolas de nieve", aquellos juguetes navideños con forma de bola de cristal que, al sacudirlos, simulan una "nevada" dentro. Imagina que sumerges el juguete en una tina de agua. El cristal del domo separa las "aguas de arriba" de las "aguas de abajo", dejando un espacio habitable para la vida. De manera similar, este domo evita que las aguas de arriba se derrumben y reintroduzcan el caos donde Dios ha creado el orden. (Y en las historias que encontramos en Jonás, Job y los Salmos, se evita que esta bola de nieve flote sin rumbo en las Profundidades, debido a los "pilares o montañas de la tierra" —o, para volver a nuestra otra metáfora, "antiguos postes de la carpa"). En Génesis 1: 2, Dios crea esta bóveda para poner las aguas caóticas en su lugar, por así decirlo, para que pueda emerger el orden. Si ver más ilustraciones te puede ser de ayuda, tómate un minuto y busca en Google *cosmología antigua del Cercano Oriente* (mira la ilustración de la página 31).

Recuerda que leer esta historia a través de ojos antiguos significa olvidarte de los telescopios, gráficos complicados del espacio exterior y de Einstein. Lo único que tienes es lo que puedes ver. Y si no tuvieses tecnología moderna, pensar del mundo como una bola de nieve gigante no es un mal lugar para empezar. Los israelitas veían a la tierra como un disco plano. Y arriba en el cielo estaba lo que parecía un domo redondo que empezaba y terminaba en los horizontes. La gran expansión sobre nuestras cabezas también es azul —el color del agua—, así que se pensaba que el domo sostenía agua. Debajo de la tierra había más agua.

Y todo parecía estar sostenido por las montañas en el horizonte lejano.

Es realmente inconcebible que Génesis se abra con otra cosa que no sea una visión antigua del mundo. No solo sería un libro de ciencia aburrido, sino que también habría sido un sinsentido literal para los lectores de la Biblia durante algunos miles de años. Recuerda, el punto de la *historia antigua* es *contar una historia*, no informarnos de los mecanismos del universo.

Al mismo tiempo, tenemos que darle mucho crédito a los israelitas por producir tal gema literaria que todavía tiene cautivos a lectores entrenados en Biblia, 2500 años después. El primer capítulo de la Biblia no se adjunta simplemente como un ensayo de último momento. La historia es sutil, desafiante y artísticamente compleja; la teología es profunda y, viéndola en contraste con el telón de fondo antiguo, asombrosa. Y es razonable: los *contadores de historias* —no historiadores, científicos, o académicos— produjeron este libro.

Nuestro mundo sería un lugar mucho más pobre si señaláramos toda las formas en que la Tierra Media de J. R. R. Tolkien no está a la altura de nuestras formas modernas de ver el mundo. Todos hemos experimentado a ese amigo molesto que sigue diciendo cosas como: "Vamos; eso nunca puede haber pasado en la vida real", durante las películas. Tal amigo está perdiéndose el punto. (Nota al margen: si no has experimentado a ese amigo molesto, probablemente lo seas tú). Las historias no están esperando ser moldeadas para encajar con nuestras experiencias. Están esperando que nosotros tomemos el riesgo de entrar en su mundo y ser cambiados por ellas.

Con ese pensamiento, dejamos el primer capítulo de la

Biblia, muy conscientes de que solo hemos rasguñado la superficie de las cosas. Sin embargo, leer Génesis 1 como una historia antigua de la fe israelita en tiempos difíciles es un gran lugar para empezar y es una preparación necesaria para leer el resto del libro.

CAPÍTULO 4

Génesis 2–4: Adán es Israel

Cuando nos movemos de Génesis 1 a Génesis del 2 al 4, segmento mejor conocido como "la historia de Adán y Eva" (y sus hijos Caín y Abel), tal vez tengamos un sentimiento de *déjà vu*. ¿Cómo puede ser Génesis 2 el relato del "origen del cielo y de la tierra cuando fueron creados" (2: 4)? ¿Los cielos y la tierra no habían sido creados en Génesis 1?

Y, para complicar las cosas aún más, estas dos secciones tienen algunas diferencias importantes. Por ejemplo, el orden de la creación es diferente. En Génesis 1, la vegetación es creada en el día 3 (1: 12-13), los animales en los días 5 y 6, y luego, los humanos, macho y hembra, como fin de todo, en el día 6 (1: 26-27). Sin embargo, en Génesis 2, *un* humano ("el hombre", también conocido como Adán) es creado *antes* que la vegetación (2: 5-9) y antes que los animales a los que Adán bautiza (2: 19-20). Cuando estaba claro que no se podía encontrar entre ellos una "compañía" adecuada para Adán, solo entonces, Dios crea a la mujer del costado del hombre (2: 21-25).

Y, si retrocedemos un poco, vemos que no solo el orden de los eventos es diferente: todo el "fluir" de Génesis 2 lo es. En Génesis 1, Dios es un soberano supremo que mueve las cosas alrededor de él y crea con órdenes verbales ("Hágase..."). En Génesis 2, es más humano. Está más involucrado en la acción de campo: forma a Adán del polvo y a Eva del costado de Adán (como un escultor o un alfarero); planta un jardín y puede ser encontrado en un paseo por la noche (3: 8).

¿Por qué tenemos dos historias de creación tan *diferentes* una junto a la otra en el mismísimo principio de la Biblia? ¿Alguien nos quiere confundir? ¿O un equipo editorial se descuidó? No, probablemente no. Como veremos poco después en Génesis, cuando los editores ponen juntas dos historias que parecen similares pero que en realidad son muy distintas, deberíamos respetar la diferencia, porque es adrede. Si tratamos de reconciliar las diferencias al armonizar estos dos capítulos, estaríamos trabajando en contra de los propósitos de los editores, y así, corriendo el riesgo de perder el punto que están tratando de mostrar.

¿Qué hacer entonces con Génesis 2? ¿Qué intenta contarnos esta historia?

Génesis 2 no es otra versión de la creación del cosmos. Le cambia el foco a la historia de Israel.

En realidad, Génesis 2 es la más antigua de las dos, probablemente escrita tempranamente en la historia de Israel, cuando la nación todavía tenía reyes, siglos antes del exilio babilónico. Génesis 1, aunque ahora está primero en nuestras Biblias, fue escrito más tarde, bajo la sombra del exilio, como vimos en el capítulo anterior. Cuando la Biblia fue compilada como la conocemos hoy, Génesis 1 fue transformado en la gran introducción a la historia israelita: el Dios de Israel es el *verdadero* creador de todas las cosas, el maestro domador del caos. Mientras que el primer capítulo establece el gran panorama, el segundo se mueve rápidamente al corazón real del Pentateuco y de todo el Antiguo Testamento: la historia de Israel como el pueblo de Dios.

Lo sabemos. Es raro pensar que la historia de Adán y Eva se centra en Israel, ¡cuando Israel ni siquiera es mencionado, por el amor de Dios! Pero, si leemos la historia cuidadosamente, manteniendo abiertos nuestros ojos antiguos, veremos que sucede mucho más de lo que estamos acostumbrados a ver con nuestros ojos modernos. Veremos que es la historia de Israel en miniatura. ¡Espera! ¡No arrojes el libro a la basura! ¡Regresa! Quédate con nosotros. Esta idea no es invento nuestro. Tanto lectores antiguos como académicos modernos por igual la consideran válida.

Para conocer la causa, tenemos que saltar hacia adelante en la historia tan solo por un minuto hasta Caín, el hijo de Adán.

Caín no está solo

El relato de Caín y Abel (4: 1-26) nos muestra que la historia de sus padres, Adán y Eva, no se trata de la creación de los primeros humanos.

Después de que Caín mata a su hermano y es descubierto, Dios lo destierra para que se convierta en "un fugitivo y un errante sobre la tierra" (v. 12). En respuesta, Caín se vuelve paranoico, con miedo a una premisa: "Cualquiera que me encuentre me asesinará" (v. 14). Así que Dios le pone una marca en la frente para que todos sepan que no deben tocarlo. Caín está satisfecho con eso, vaga, y se asienta en la tierra de Nod (que quiere decir "errar", en hebreo), al este del Edén (sí, de ahí provienen la novela Steinbeck y la película de James Dean). Encuentra a su esposa, se establece, tiene hijos y construye una ciudad (v. 17).

Si alguna vez le leíste esta historia a un niño inquisidor, sabes lo que viene a continuación; la temida pregunta que aterroriza a los maestros de escuela dominical y rezan porque nunca se haga: "¿De dónde saca Caín a su esposa?" (*No lo sé, Susanita. Pregúntales a tus padres*). Junto a esa pregunta, también podríamos agregar: "¿De dónde viene esta pandilla de la que Caín tiene tanto miedo, y por qué un hombre exiliado construiría una ciudad?".

Incluso los niños reconocen que, si Adán y Eva fueron los primeros humanos, y si Caín y Abel fueron sus hijos, y si Abel está muerto, la ecuación solo da tres personas sobre la faz de la tierra. Así que Génesis 4 deja caer del cielo un montón de otros humanos, sin molestarse en explicar de dónde vienen.

Algunos, que todavía quieren leer Génesis 2-4 como otro relato de la creación, encuentran una respuesta en Génesis 5: 4, donde aprendemos que Adán tuvo "otros hijos e hijas". ¿Así que se supone que debemos creer que Caín se casó con su hermana? Además del hecho de que eso es asqueroso y un poco espeluznante, recordemos también *que la historia no dice eso ni lo sugiere*. Es una explicación inventada. Y, además, Génesis 5: 4 parece decir que estos otros hijos nacieron luego de Set, el hijo "de reemplazo" por Abel (todo esto sucedió *después* del destierro de Caín y del matrimonio con su esposa misteriosa). Y, finalmente, piensen en esto: para Caín, encontrar una esposa entre sus hermanas mientras erra como fugitivo, significaría que al menos una hermana (en realidad, muchos hermanos y hermanas, ya que Caín construye una ciudad) tendría que haber sido desterrada también. Pero, de nuevo, *la historia no dice nada de eso*.

Aquí hay una explicación más simple: *todo este tiempo hubo otras personas viviendo fuera del Jardín del Edén*, aun si la historia no lo explica. Lo que nos lleva a otra cosa: tal vez, la historia de Adán y Eva no se trata de los primeros seres humanos. Quizás es sobre otra cuestión, que es esta:

La historia de Adán es una historia de Israel en miniatura, una previsualización de lo que está por venir.

Adán es Israel

Trata de olvidar lo que sabes de la historia de Adán y observa la línea básica de la trama.

Adán es creado por Dios fuera del jardín y puesto en un *paraíso* ("Eden" significa algo así como "abundancia"). Cuando entra en este paraíso, se le da una *orden* a seguir: no comer de uno de los dos árboles en el medio del jardín: el árbol del conocimiento del bien y el mal. "*El día* que comas de él", le advierte Dios a Adán, "morirás" (2: 17).

Hasta aquí vamos bien, pero nota lo que sucede el día en que Adán come del fruto prohibido: no muere. De hecho, Adán vive hasta edad avanzada (930 años) y tiene hijos. Entonces, ¿qué significa que moriría "el día en que" comiera del fruto? La muerte, como leemos en esta historia, tiene un doble significado.

A cierto nivel, significa *muerte física* porque haber sido desterrados del jardín implica que ellos *ya no tendrían acceso libre al otro árbol del que leemos: el árbol de la vida*. Ese era el árbol que evitaba que ellos murieran. Así que, en un sentido, Adán y Eva "mueren" físicamente al ser desalojados del paraíso; no pueden seguir comiendo de la fruta que les da inmortalidad, así que se introduce la muerte: eventualmente, ellos regresarán al polvo (3: 19).

Pero la muerte también tiene un significado metafórico: ser exiliado del paraíso es "muerte" para Adán. Esto realmente sucede "en el día": Adan y Eva *son llevados fuera del jardín* y se les prohíbe regresar, para impedir que coman del árbol de la vida (3: 22-24). La muerte que experimentan, en otras palabras, es "exilio" del Jardín, es un tipo de "muerte".

En Ezequiel 37, vemos la misma conexión entre la muerte y el exilio, aunque aquí es Israel exiliada en Babilonia. El profeta Ezequiel tiene una visión de un valle de huesos secos, una tumba masiva al descubierto. Los huesos representan a Israel en el exilio babilónico.

¿Por qué dirían los israelitas que el exilio es la muerte? Bueno, claramente, no es como mudarse. Israel era un pueblo de la tierra, la misma que Dios les dio como regalo. Su historia comienza virtualmente con la promesa de tierra dada a Abraham en Génesis 12. En 2 Samuel 7, Dios les promete a los israelitas que la tendrían para siempre y que tendrían a un descendiente de David sentado en el trono. Pero, en el exilio, todo eso se esfumó (incluyendo el Templo, donde Israel iba a comunicarse con Dios y hacer sacrificios para el perdón de pecados). Estar en el exilio era algo muy serio. Sentían que Dios los había rechazado; finalmente, él les había dado la espalda y se había alejado.

Sin Dios, Israel dejaba de existir, por así decirlo. Israel estaba "muerto".

Pero estos huesos en Ezequiel 37 se vuelven a unir, cubiertos con músculos y carne, y Dios sopla vida nueva en ellos (vv. 7-9, tal como Dios sopló vida en Adán). Traer los huesos a la vida representa a Israel volviendo de la cautividad (ver vv. 11-14). Israel es restaurado, reconectado con Dios; vuelto a la vida. Como Israel en el exilio, Adán *murió* el día que comió del fruto y también fue exiliado (del Edén). Adán e Israel comparten el mismo destino.

Pero el paralelo no termina ahí. Las historias de Adán e Israel siguen la misma trama.

Adán fue creado por Dios y *exiliado* del *paraíso* por desobedecer el *mandato.*

Israel fue creado por Dios y *exiliado* de *Canaán* por desobedecer la *Ley de Moisés.*

Israel fue *creado* por Dios, empezando con Abraham, y especialmente cuando fueron liberados del "polvo" de la esclavitud (un largo proceso). Luego, Dios llevó a los israelitas al Monte Sinaí donde, a través de Moisés, les dio *mandamientos* para seguir. Los puso en la tierra de Canaán, una tierra "donde fluía la leche y la miel", lo que significa que la tierra era exuberante de dos fuentes valiosas de abundancia y vida en el mundo antiguo: ganado y agricultura ("miel" significa "néctar de fruta").

ADÁN	ISRAEL
Creado del polvo	Creada de la esclavitud
Ubicado en un jardín paradisíaco	Colocada en una tierra paradisíaca
Se le da un mandamiento a seguir	Se le dan un mandamientos a seguir
Obediencia → vida y tierra Desobediencia → muerte y exilio	Obediencia → posesión de la tierra (vida) Desobediencia → exilio (muerte)
Génesis 2: 17 Génesis 3: 22-24	Deuteronomio 30: 11-20 Ezequiel 27

Mientras Israel obedeciera la ley de Dios dada a Moisés —especialmente las partes sobre no tener otros dioses más que Yahvé— les iría bien en la tierra. Pero el pueblo tenía un hábito de larga data de adoración a otros dioses. Finalmente, después de varios siglos, Dios los condujo al exilio en Babilonia.

"Así como llevé a Adán al jardín del Edén, le di mandamiento y él lo transgredió, con lo cual lo castigué con rechazo y exilio... así también traje a sus descendientes a la tierra de Israel y les di mandamiento, ellos los transgredieron y yo los castigué con rechazo y exilio".

—Génesis Rabá

Adán e Israel se reflejan mutuamente. Ambos fueron creados por Dios y recibieron una gran parcela de tierra para vivir, siempre y cuando le obedecieran. La historia de Adán parece no tratarse tanto de la "humanidad", como tampoco da la sensación de que sea Historia o Ciencia, que es lo que nos dicen los ojos modernos. Debe ser leída a través de la mirada antigua. La historia de Adán es un avance de la historia de Israel, una historia de posesión de la tierra ligada a la obediencia a Dios.

Ahora, veamos esta misma idea pero desde un ángulo diferente.

Adán y Eva ingenuos

A muchos cristianos se les enseñó a leer la historia de Adán y Eva de esta manera: Adán y Eva son una especie de superhumanos: los primeros, recién salidos de la línea de ensamblaje; brillantes, nuevos, perfectos. Dios probó a estas criaturas sin defectos con el mandamiento de no comer del árbol del conocimiento del bien y el mal solo para ver qué tan en serio iban, y si estaban dispuestos a obedecerlo. Pero fallaron en la prueba, se rebelaron contra Dios y perdieron no solo su propia perfección sino la de todo ser humano que nació desde entonces.

Esta forma de entender la historia de Adán ha sido popular por mucho tiempo en el cristianismo occidental, especialmente bajo influencia de San Agustín (354-430 e. c.), quien dijo que la humanidad no solo heredó una naturaleza pecaminosa de Adán y Eva, sino también la *culpa* de sus acciones. Y así es como nacen todos los humanos ahora.

Pero no todos han leído la historia así (como muchos de la Iglesia Ortodoxa del Oriente) y, francamente, es difícil tomarla al pie de la letra y encontrarle sentido. Otro ángulo, uno que usualmente adoptan los cristianos de la tradición Ortodoxa Oriental, es leer la historia de Adán como si no se tratara de una *caída* de la perfección, sino de un fracaso para *crecer* hasta alcanzar la sabiduría y la madurez divinas.

Piensa en Adán y Eva no como unos superhumanos perfectos sino como niños, jóvenes e ingenuos, que deben crecer en obediencia pero que fueron engañados para seguir un camino diferente. ¿Por qué alguien iría a leer la historia de esta forma? Bueno, como vamos a ver, hay algunas razones que nos ayudan a ver de forma más clara que realmente estamos leyendo la historia de Israel.

Observa el mandamiento que Dios le dio a Adán. Puede comer de cualquier árbol del jardín, cualquiera de los árboles que están allí, excepto de uno: el del conocimiento del bien y el mal.

Esto hace surgir una pregunta obvia: ¿Por qué ese árbol? ¿Por qué no un mandamiento sobre no comer del árbol de la muerte y la enfermedad? ¿O del árbol de la lujuria sexual y la mentira? ¿Por qué del árbol del conocimiento del bien y el mal? ¿Qué hay de *malo* con saber la diferencia entre el bien y el mal, exactamente? ¿Nos perdimos de algo? ¿No es eso lo que todo padre desea para su hijo o hija? (Los padres que se preocupan por sus adolescentes, tú sabes a lo que me refiero). ¿Por qué comer de un árbol que te da el conocimiento del bien y del mal conlleva la pena de muerte?

Si es la historia de los primeros humanos, esta parte es tan impactante como golpearse el dedo meñique del pie. Pero, si pensamos la historia de Adán como un anticipo de la historia de Israel, tiene mucho más sentido.

Saber la diferencia entre el bien y el mal es *el* punto de la ley en el Antiguo Testamento. La ley, dada a Moisés en el Monte Sinaí, le dice a Israel qué es el bien y qué es el mal. Y, si obedecían lo que decía, todo les saldría bien; lo que, según vimos, significaba que ellos serían capaces de quedarse en la tierra. Por otro lado, la desobediencia acarrearía consecuencias: en última instancia, el exilio de la tierra. Esta es la gran decisión que Israel enfrenta a lo largo de la historia: obedecer la ley y ser bendecido con la tierra o desobedecer y perderla.

El libro de Proverbios está basado en una idea similar, aunque es descrito un poco diferente. Antes de todos esos dichos increíblemente sucintos y sabios, establece una elección similar en los primeros nueve capítulos. En Proverbios, a Israel se le aconseja seguir la *sabiduría* y huir de la *necedad.* ¿Qué es la sabiduría? Obedecer a Dios y seguir sus instrucciones (Proverbios 1: 7). Seguir el camino de Dios lleva a la sabiduría y a la vida (8: 35), pero seguir la estupidez lleva a la muerte (8: 36). Distinguir el bien del mal, la sabiduría de la necedad, era lo que se esperaba de Israel. Y, para ganar ese conocimiento, necesitaban *aprender* a obedecer a Dios. El libro de Proverbios fue escrito como una especie de manual de entrenamiento para hacer precisamente eso.

Dios no le ordenó a Adán y Eva no comer del árbol del conocimiento del bien y el mal porque tal conocimiento estuviera *mal.* No es que Dios nunca quiso que Adán y Eva conocieran el bien y el mal. Precisamente eso es lo que quería.

Pero tenían que ir ganando tal conocimiento a la manera de Dios.

La obediencia a Dios es un prerrequisito para conocer el bien y el mal. Proverbios 1: 7 lo expresa de esta forma: *El temor del Señor es el comienzo del conocimiento; los necios desprecian la sabiduría y la instrucción.*

Para usar el lenguaje de Proverbios, Adán y Eva fueron necios. Rechazaron las instrucciones de Dios y tomaron el camino corto para llegar a lo que se pretendía que fuese algo bueno. Pero el verdadero conocimiento solo puede ser obtenido rindiéndose a Dios, confiando en él, reverenciándolo y amándolo (todo esto es lo que abarca la frase "temor del Señor"). Y seguir el camino de Dios a la sabiduría trae *vida*, que es lo que leemos en Proverbios 3: 18: "Ella [Sabiduría] es un árbol de vida para los que se le aferran".

Persiguiendo la sabiduría, el camino de Dios conduce a un "árbol de vida" para Israel y para Adán. Fallar en seguir el camino de Dios a la sabiduría lleva a la muerte; al extrañamiento de Dios; al exilio para Israel y para Adán.

Aquí es donde entra la serpiente (3: 17). Es descrita como "el *más astuto* de todos los animales del campo que el Señor Dios había hecho" (v. 1). No es solo una forma rápida de introducir un personaje en una historia. En Proverbios 1: 4, leemos que la sabiduría de Dios da "perspicacia a los simples". "Perspicacia" en proverbios y "astucia" en Génesis son la misma palabra hebrea.

En español, *astuto* es la forma negativa de expresarlo y *perspicaz* es la forma positiva. Piensa en perspicacia como "inteligencia de la calle". Alguien perspicaz no se dejará engañar en ningún juego de mesa ni truco de cartas que estén dando vueltas por ahí. Mucho de Proverbios es sobre preparar al joven, al simple, al ingenuo para que logre ser alguien en el mundo, donde a la vuelta de cada esquina hay una tentación potencial para alejarlos de la sabiduría (y la vida) y llevarlos hacia la necedad (y la muerte).

El breve diálogo que sigue a la entrada de la serpiente muestra al *astuto reptil* burlando a la *simple* Eva, como un vendedor de autos veterano que manipula a un comprador joven que va por primera vez con un montón de billetes. Como la mayoría de nosotros hemos aprendido, los vendedores de autos conocen más razones que nosotros para comprar un vehículo: lo estudian, van a seminarios, practican. Son astutos. Buscan una forma de meterse en tu cabeza y hacer que compres uno que tal vez no quieras, no puedas costear, y con características y garantías que tal vez no necesites, y te dejan sintiéndote bien y pensando que todo fue idea tuya... hasta que llega la factura de pago y la realidad te golpea la puerta. El comprador tiene que tener verdadero cuidado. Si eres ingenuo, es mejor que "no te sientes" en el escritorio con el vendedor para "hacer algunas cuentas". Solo quédate lejos y, hagas lo que hagas, mantén la boca cerrada.

La serpiente es el vendedor astuto y Eva es la consumidora ingenua. La serpiente la hace hablar y, en dos versículos, la tiene comiendo de su mano y dudando de Dios. "Confíe en mí, señorita. Dios le está mintiendo. Incluso está algo celoso. La razón por la que no quiere que coman de ese árbol increíble, bello y delicioso es porque él sabe que, cuando coman del fruto, serán como Dios: conocerán sobre el bien y el mal".

Una media verdad inteligente. Sí, si comían del árbol *serían* como Dios, *que es exactamente lo que Dios quiere.*

Eventualmente.

Dios quiere que las criaturas humanas luzcan más y más como él, pero el Dios sabio debe dirigirlos a su manera, en sus tiempos. No están listos para saber del bien y del mal. Todos conocemos, por haber visto la clásica película de Tom Hanks *Quisiera ser grande,* qué sucede cuando "crecemos" sin todas las experiencias que vienen con la madurez. Del mismo modo, la serpiente engaña a la ingenua Eva para que obtenga sabiduría, pero pasando por alto la instrucción de Dios. Para que tomara algo bueno de la manera equivocada.

Después de que comen, Adan y Eva se hacen conscientes inmediatamente de su propia desnudez y se avergüenzan. De todas las cosas que podrían haber sucedido —que la tierra se abriera y los tragara por completo o que fueran consumidos por fuego desde el cielo—, ¿por qué esto? Es casi como si unos escritores conservadores crearan esta historia. Pero eso no es lo que sucedió aquí.

Piensa en tus hijos pequeños. Tienden a correr por toda la casa desnudos, sin que el mundo les importe. De hecho, nuestros hijos literalmente corrían *por toda* la casa desnudos, completamente inadvertidos de la vergüenza que estaban amontonando sobre sus padres indefensos mientras los vecinos miraban. Es simple: los chicos son ingenuos. No saben que se supone que deben sentir vergüenza. Pero imagina qué pasaría si, mientras tu hija está corriendo frenéticamente, pudieras darle una galleta mágica que instantáneamente le diera el entendimiento de una joven de veinticinco años, salteándote años de crecimiento y experiencias. Lo más probable es que grite, corra al cuarto, trabe la puerta, y encuentre algo para cubrirse, como las hojas de higuera que usaron Adán y Eva.

La serpiente engañó a Adán y Eva para que obtuvieran sabiduría demasiado pronto, separados del camino de Dios. Fueron niños ingenuos que no tuvieron la perspicacia para resistir la astucia de la engañadora. Debieron haber confiado en su creador. El conocimiento del bien y del mal no es algo malo, pero obtenerlo fuera de la dirección de Dios es muerte. Sin la madurez que viene de obedecer a Dios, Adán y Eva *no pueden soportar la verdad* (dicho con nuestra mejor voz de Jack Nicholson en *Cuestión de Honor*).

La cuestión

Esta es la cuestión de la historia: la elección puesta ante Adán y Eva es la misma que enfrenta Israel todos los días: *aprende a escuchar a Dios, sigue sus caminos y luego —solo luego— vivirás.* La historia de Adán y Eva resuelve el tema a través de un mito. Proverbios lo hace en forma de literatura de sabiduría. La larga historia de Israel en el Antiguo Testamento lo hace en forma de narrativa histórica.

La historia de Adán y Eva es un adelanto del largo viaje de Israel en todo el Antiguo Testamento.

Adán no regresó al jardín, pero el Antiguo Testamento no reposa en esa historia. De hecho, Adán no es mencionado de nuevo en todo el Antiguo Testamento, con excepción de 1 Crónicas 1:1, donde es el primer nombre en una larga lista de nueve capítulos. En su lugar, esta parte de la Biblia se concentra en Israel mismo. E Israel sí vuelve al jardín, de regreso a Canaán, en el 539 a. e. c., después de unos cincuenta años de cautividad en Babilonia. Como vimos en Ezequiel 37, se revierte la muerte del exilio y los huesos muertos de Israel son traídos nuevamente a la vida. El alejamiento de Israel de Dios ha terminado. Como lo expresa el profeta Isaías: "[Jerusalén] ha cumplido su mandato, su pena ha sido pagada, ha recibido de la mano del Señor el doble por todos sus pecados" (40: 2).

Al final del día, la historia nacional de Israel es menos sobre ellos y más sobre el Dios que nunca los abandona por completo, que siempre se mueve para traerlos de vuelta al paraíso.

CAPÍTULO 5

Génesis 4–5:

Caín es un tonto

Las cosas empiezan tan bien. El Dios de Israel ordena el cosmos sin ayuda de nadie y pone a Adán y Eva, sus personas especiales, en el jardín del paraíso. Todos deberíamos estar espléndidos. Pero, para el momento en que llegamos a Génesis 3, nos topamos con una serie de problemas. Adán y Eva son exiliados del paraíso; ángeles armados custodian el acceso al árbol de la vida (3: 24). Las grandes preguntas a esta altura son: ¿Qué pasará a continuación? ¿A dónde irán? ¿Qué harán? Y, ¿empeorarán las cosas?

Sí. Empeorarán. Génesis 4 presenta a los hijos de Adán, Caín y Abel (una historia que vimos en el capítulo anterior). Caín, el más grande, rápidamente seguirá los pasos tontos de sus padres. La suya también es una historia donde la desobediencia lleva a la muerte y la discordia.

De tal palo, tal astilla

La historia empieza con algunas cosas que aparecen de

la nada. Tanto Caín como Abel presentan un *sacrificio*, pero Dios acepta el de Abel y rechaza el de Caín. Este favoritismo, que no es explicado, hace que Caín se enoje con su hermanito.

Está bien, pero, ¿cómo sabían Caín y Abel qué era un sacrificio y cómo hacerlo? ¿Y por qué Dios se enojaría con uno y no con el otro? ¡Que alguien nos arroje un hueso, por favor! Bueno, es desconcertante —a menos que recordemos que estamos leyendo una historia de Israel en miniatura, tal como la historia de Adán y Eva.

Aquí, la clave es el tipo de sacrificios que ofrecen Caín y Abel: el de Caín es agrícola y el de Abel es pastoral. Luego veremos que Dios ordena que los israelitas ofrezcan al primogénito de su *ganado* (Éxodo 13: 12) y el primer fruto que *produzcan* (Levítico 23: 10). Esta historia es escrita para Israel, y los mandamientos posteriores están de fondo en la historia de Caín y Abel. Así que el problema con el ofrecimiento de Caín no es que era "meramente" grano en vez de carne, sino que no ofrece específicamente el *primer fruto* de la cosecha, sino un simple y maduro grupo de "frutos" (Génesis 4: 3). Eso es: así como Adán y Eva —y luego, Israel— Caín ha roto la ley de Dios. Por lo tanto, Dios favorece la ofrenda de Abel pero rechaza la de Caín.

Caín no está feliz. Dios ve su infelicidad (y quizás su creciente resentimiento) y le dice que, si hubiese ofrecido un sacrificio mejor, no habría tenido este problema.

Dios también le dice: "el pecado está agazapado a la puerta y te acecha, pero tú debes dominarlo" (4: 7). En otras palabras: "Tu ira es tu propia culpa, y será mejor que la mantengas bajo control o algo terrible sucederá". Pero, como sus padres, Caín juega el papel del tonto, ignora la advertencia de Dios, y mata a su hermano en un ataque de celos premeditado. *Como sus padres, Caín escoge la muerte* —aunque esta vez, fallar en seguir el camino de Dios lleva al asesinato.

¿Cómo es que esta es la historia de Israel en miniatura? En el último capítulo, vimos que la historia de Adán refleja a Proverbios. La historia de Caín hace lo mismo.

En Proverbios, justo después de que se nos dice cuán grandiosa es la sabiduría (1: 17), nos movemos hacia una advertencia sobre el asesinato. El *"hijo"* que está siendo instruido en Proverbios es advertido a no ceder ante el pecado (v. 10) — específicamente, no seguirle la corriente a aquellos pecadores que lo tientan, diciendo: "Ven con nosotros, tendamos una emboscada sangrienta, acechemos por puro gusto al inocente" (v. 11).

De todas las cosas que podemos mencionar al comienzo de Proverbios, ¿por qué el asesinato? Porque la historia de Caín y los dichos sabios de Proverbios son dos versiones de la misma lección: sé sabio, sigue los mandamientos de Dios y obtendrás vida; sé necio, rechaza los mandamientos de Dios y obtendrás muerte. Fallar en seguir a la sabiduría tiene consecuencias letales —no solo en lo privado, sino también en público.

El exilio es solo el comienzo

La sangre de Abel "grita hacia Dios desde el suelo" (Génesis 4: 10) y Caín es castigado. Ya no será un granjero sino que ahora deberá ser un "fugitivo y errar en la tierra" (Génesis 4: 12). Adán y Eva fueron exiliados del jardín. Pero Caín es exiliado de la mismísima presencia de Dios y empieza a retozar con el pueblo de Nod. (En el último capítulo, vimos quiénes son este otro pueblo).

Lo primero que se nos dice es que Caín y su esposa tienen un hijo que nombran Enoc. Luego, Caín construye una *ciudad* para su hijo, aunque Dios le haya dicho que sea un *errante*. No solo eso, sino que en el mundo antiguo del Antiguo Testamento (aunque no en el Antiguo Testamento en sí mismo), la construcción de ciudades suele ser algo por lo que los dioses son conocidos. Caín parece estar caminando de campo minado a otro. Lo que es seguro es que "vaga" lejos del camino del creador.

La historia se mueve rápidamente desde Enoc a su tataranieto, Lamec, el primer polígamo (se casa con dos mujeres). Lamec tiene tres hijos que se convierten en "padres de la industria". Jabal, el padre del pueblo que habita en tiendas de campaña y cría ganado; Jubal, el padre de todos los que tocan el arpa y la flauta; y Tubal Caín, el primero en forjar herramientas de bronce y hierro.

Mientras sus hijos estaban ocupados inventando herramientas e instrumentos musicales, Lamec mataba a un hombre —tal como su tatarabuelo Caín. Y Lamec piensa, arrogantemente, que puede forzar la mano de Dios, diciendo que, si Caín fue protegido en sus caminos homicidas, él estaría aún más resguardado. La historia se detiene allí, abruptamente, pero nos quedamos pensando: "¿Quién se cree que es este tipo?". También se nos da una pista bastante fuerte de que el linaje de Caín está muy arruinado. Sus descendientes se alejan cada vez más de los caminos de Dios.

Recuerda: Génesis 2-4 no es una historia del origen *definitivo* de *todo*. Es claro que el escritor tiene un temario para contar la historia de la relación de Israel con Dios, sin espacio para otros asuntos, como qué hacían otros pueblos en aquel tiempo. Caín y su linaje son un desastre —ejemplifican lo que sucede a un pueblo que está separado de Dios. El árbol genealógico de Israel no incluye a su familia. Pero, ¿entonces? Con Abel muerto, ¿quién queda?

Obtenemos una respuesta en Génesis 4: 25. Mientras que la familia de Caín estaba ocupada construyendo ciudades y herramientas, Adán y Eva tienen otro hijo para reemplazar a Abel, y lo nombran Set. Set tiene un hijo llamado Enós, y, con ese nacimiento, tenemos un momento clave en la historia: Set no le construye una ciudad a Enós como hace Caín para Enoc. En su lugar, cuando nace Enós, "las personas comenzaron a invocar el nombre de Yahweh" (4: 26). Una buena manera en que el Antiguo Testamento nos dice que, cuando nace Set, la gente comienza a adorar a Yahweh.

El linaje de Set puede no ser perfecto, como veremos una y otra vez en Génesis. Pero, al menos, invocan el nombre de Yahweh. Y, eventualmente, nos traerá a Abraham, el padre de Israel, el pueblo de Yahweh.

No; no te saltearás estos nombres

Con toda esta acción en curso, podríamos llegar a Génesis 5 y pensar que es un interludio. "¿Una lista de nombres? ¿En serio? ¿Se supone que lea eso?". Algunos de nosotros ni siquiera podemos conocer a todos nuestros primos. ¿Quién necesita una lista de desconocidos?

Tal vez hayamos crecido pensando que "tal y tal engendró a tal y tal" era otra forma de decir "saltéate esta sección; no es importante, y solo te hará sentir inseguro porque no puedes pronunciar todos esos nombres". Pero, en la Biblia, estos árboles familiares son más que solo una excusa para levantarse e ir al baño.

GÉNESIS 5

LA GENEALOGÍA DE ADÁN

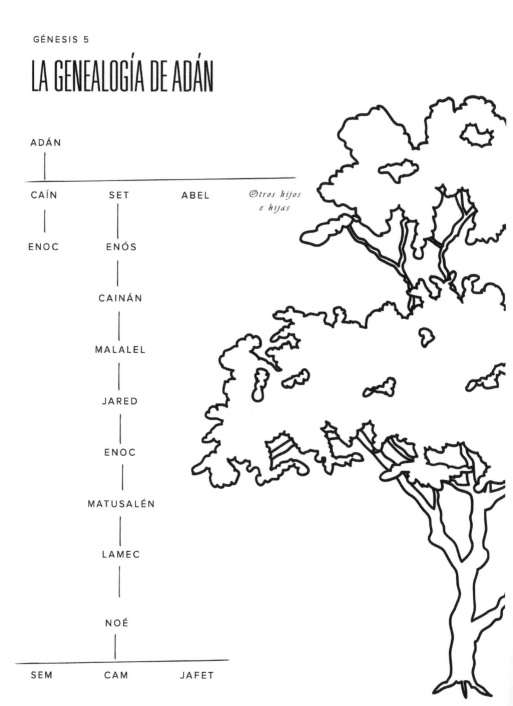

ADÁN

CAÍN   SET   ABEL   *Otros hijos e hijas*

ENOC   ENÓS

CAINÁN

MALALEL

JARED

ENOC

MATUSALÉN

LAMEC

NOÉ

SEM   CAM   JAFET

Así que saltéalas si debes hacerlo. No podemos forzarte a leerlas. Pero queremos que te sientas, aunque sea, un poquito culpable por ello.

Si bien podría ser aburrido leer la genealogía de otra familia, la mayoría de las personas encuentran su propia historia familiar al menos un poco interesante. Las personas a menudo visten a sus antepasados como una insignia de honor, y consideran significativo descender de algún personaje histórico. Las genealogías bíblicas le recuerdan a Israel que son parte del árbol genealógico cuyas raíces están firmemente plantadas en una relación con su creador y redentor. Son elementos fundamentales en Génesis que conectan el pasado con el presente. Las genealogías son un recordatorio de que ellos todavía están conectados al pueblo de Dios, y lo están desde hace mucho tiempo.

NOTA AL MARGEN: el ejemplo más claro, si quieres darte una vuelta por allí, es la genealogía de los primeros nueve capítulos de 1 Crónicas. Háblame de quedarse dormido, pero esta genealogía era importantísima. Fue escrita mucho después de que los israelitas regresaran del exilio, cuando la gente se preocupaba por donde estaban situados como pueblo con Dios. Esos nueve capítulos de [bostezo] nombres termina con los que regresaron del exilio —y todo comienza con Adán, en 1 de Crónicas 1: 1. Esta genealogía dice: "Todavía somos el pueblo de Dios, y siempre lo hemos sido, desde el comienzo".

La genealogía en Génesis 5 también conecta a Israel con su pasado y nos hace avanzar hacia el destino de la historia. El capítulo 5 comienza con nuestra segunda frase de "esta es la lista de", así que nos introduce a una nueva sección. La genealogía es como un mapa, se asegura de que sepamos que la historia que tenemos por delante se dirige por el linaje de Set, y no por el de Caín. La descendencia de Adán *a través de Set* es la que está cerca de Dios, y no la de Caín, que nos da personas como el arrogante y asesino Lamec.

La genealogía también conduce hacia la escena que sigue —como cuando una prolepsis en una película que anuncia "cinco años después". El capítulo 6 comienza cientos de años después de que termina el capítulo 4, con el cinco como intermediario.

Pero si hay una cosa de esta lista de nombres que nos llama la atención es cuánto tiempo viven las personas —casi mil años cada una. Es demasiado tiempo. El famoso Matusalén se lleva el premio por vivir más tiempo: 969 años. A Adán tampoco le fue tan mal: vivió 930 años. Set, 912 años, y así continua. Los únicos que no rompieron la barrera de los 900 años fueron Malalel (tan solo 895 años), Lamec (777 años, este no es el Lamec de Caín), y Enoc.

Este Enoc, que no guarda ninguna relación con el de Caín, no muere. Inexplicablemente "Siguió siempre los caminos de Dios, y luego desapareció porque Dios se lo llevó" (Génesis 5: 24). Hubiese sido bueno que el escritor nos informara un poco sobre él, por ejemplo, qué hizo diferente a los demás, y qué significa para Dios "llevárselo" y "desaparecer". Tal vez, todos lo conocían y no necesitaban más explicaciones, lo cual es otro recordatorio para nosotros (como si lo necesitáramos) de que somos personas modernas que leen textos antiguos.

¿Qué explicación hay para que la gente viva tanto tiempo? Para entenderlo, nos tenemos que deshacer de nuestra idea de genealogías tal y como las conocemos hoy. Eso significa que no deberíamos calcular la edad de la tierra usando estas genealogías, como lo hizo el obispo Anglicano James Ussher, allí por el siglo XVII. Basado en estas genealogías, decidió que la tierra fue creada el domingo 23 de octubre de 4004 a. e c. Un estudio cuidadoso de las genealogías bíblicas —y de las genealogías del mundo antiguo en general— nos muestra que, si su intención es demostrar algo, no es una línea de tiempo precisa.

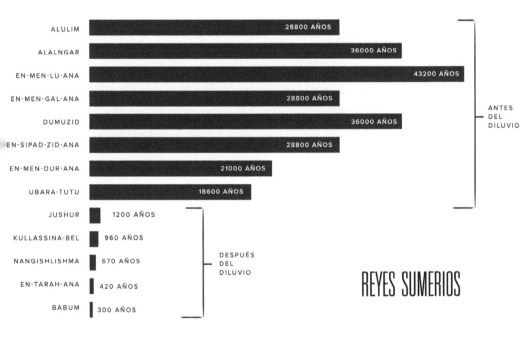

Necesitamos leer estos tiempos de vida con ojos antiguos. Ayuda saber que los vecinos de Israel usaban números grandes de maneras parecidas, algo que podemos ver en la lista de reyes de la antigua Sumeria, que los eruditos apodaron hábilmente como la "Lista del Rey Sumerio". Cada uno de estos reyes gobernó por miles de años antes del diluvio. El reinado más largo es de 65 000 años; pero gobernaron apenas novecientos años después de la gran inundación. Comparativamente, las edades en Génesis 5 parecen más razonables a los ojos modernos, pero, aun así, no nos dicen cuánto vivieron estas personas. Tanto la Lista del Rey Sumerio como Génesis están usando la idea de tiempos de vida sobrehumanos para decir que el diluvio fue un cambio muy grande en la historia —la gente dejaría de vivir vidas tan largas.

Acabamos la línea familiar de Set con el nacimiento de Noé. Génesis 5: 29 lo describe así: "Este nos dará un alivio en nuestro trabajo y en la fatiga de nuestras manos, un alivio proveniente del suelo que maldijo el Señor". Qué hijo tan especial. Todo tipo de fuegos artificiales deberían dispararse dentro de nuestros cerebros: *Noé nace para revertir la maldición de Adán*, a través de la cual el suelo fue maldecido y resultó en un gran esfuerzo y trabajo (3: 17-19). Dios está por hacer algo nuevo a través de Noé, un segundo Adán, por así decirlo.

Pero esto no será un paseo por el parque. Las cosas se están por poner caóticas (literalmente). En el sentido antiguo de la palabra, todo el infierno está a punto de desatarse.

CAPÍTULO 6

Génesis 6–9:

Todos se ahogan

Las partes que nos resultan más familiares de la Biblia, usualmente son las que más nos cuestan leer a través de ojos antiguos. Y todos están familiarizados con la historia del diluvio: Noé, el arca, los animales marchando de a dos —básicamente, el sustento de todo franelógrafo y libros para colorear de clase dominical. Suponemos que no hay forma de evitarlo. Después de todo, un bote lleno de animales con un arcoíris arriba parece bastante amigable. Además, la historia viene con una linda lección sobre la fidelidad de Dios.

Lo que pasa es que no es una historia para niños, y la forma en la que se le presenta a los niños la domestica hasta el punto de distorsionarla. La historia del diluvio no es una versión antigua de *Bambi* o *El Rey León*. Es más parecido a *28 días después*[1] o *Contagio*[2].

---

1 *28 Days Later* (comercializada como *28 días después* y *Exterminio*) es una película británica de zombis dirigida por Danny Boyle. (N. del T.)

2 *Contagio* (2011) —*Contagion* en inglés— es una película estadounidense dirigida por Steven Soderbergh donde se cuenta cuáles son los peligros, los síntomas y las mayores preocupaciones de un brote pandémico. (N. del T.)

El diluvio es un momento horroroso en Génesis. El experimento humano ha fallado, y, aparentemente, la única solución posible para Dios a esta altura temprana de la historia es matar a toda criatura, excepto por una familia y un número limitado de animales. ¿Por qué un Dios amoroso, amo y diseñador del cosmos haría tal cosa?

Esta es una de esas historias donde es absolutamente necesario dejar atrás el mundo moderno. Tal vez queramos leerla como un relato científica e históricamente exacto del pasado, y discutir si fue una inundación global o local, o preguntarnos si la extinción de los dinosaurios puede atribuirse a la falta de espacio en el arca. Pero ninguna de estas preguntas nos ayuda a ver la historia como la hubieran visto los antiguos israelitas.

La pregunta es por qué, no cómo

Lo primero que nos ayuda a sacarnos los lentes modernos es reconocer que 1) los antiguos vecinos de Israel también tenían historias de diluvio muy parecidas a la bíblica; y 2) la historia del diluvio de Israel fue escrita después de esas otras (como vimos con la creación en Génesis 1). Estas versiones más antiguas provienen de Sumeria, Asiria y Babilonia. Parece que realmente hubo una inundación catastrófica en algún momento en el antiguo Cercano Oriente (algunos arqueólogos sostienen que alrededor del 2900 a. e. c). *Y diferentes culturas en esa región dieron diferentes razones de por qué sucedió.*

En otras palabras, algún tipo de inundación masiva y memorable fue un evento histórico de verdad, pero las historias relataron *por qué* paso, y no *qué* paso.

Recordemos que los pueblos antiguos, incluyendo a los israelitas, no tenían ninguna noción de un globo redondo. Su mundo era plano. Así que, cuando la Biblia dice que la "tierra" estaba corrompida y que fue inundada, no nos podemos imaginar la "tierra" como esta canica azul que se mueve por el sistema solar. Los israelitas simplemente no estaban al tanto de cómo lucía la Tierra como la vemos hoy. Para ellos, se limitaba a lo que podían ver desde su perspectiva. Y, desde allí, la tierra era plana y terminaba en el horizonte (como nos parece a cualquiera de nosotros, si nos paramos en un campo enorme en medio de la nada).

Si te sitúas en ese mundo, la historia del diluvio tiene más sentido. Habrías visto llover durante días y días, y los ríos crecer hasta que, lentamente, pero a paso seguro, las cosas quedaran totalmente cubiertas y vieras la gente morir en masa. Esta era la inundación de *su* mundo. Para *ellos*, el diluvio fue mundial, pero el "mundo" incluía solo lo que podían ver; podríamos llamarlo el "mundo conocido".

Como dijimos, los antiguos estaban interesados en *por qué* pudo pasar algo como esto, y específicamente cuál era el rol de Dios. A pesar de que nos estamos enfocando en la mentalidad antigua, de algún modo, las cosas no cambiaron mucho. El trágico tsunami del Océano Índico que se llevó tantas vidas en 2004 hizo que muchos líderes religiosos y millones de personas —religiosas y no religiosas— se preguntaran, una vez más, cómo es que —supuestamente— Dios permitió que algo así pasara. Como religiosos, no estamos tan interesados en cómo sucedieron tales cosas. Le dejamos eso a los científicos. Estamos mucho más interesados en *por qué* sucede algo así en la creación de un Dios bueno. Nos estamos preguntando qué *significan* estas catástrofes.

Los escritores antiguos respondieron de forma diferente a esta pregunta, pero, aun así, existen algunas similitudes con la historia bíblica que nos hacen hacer un doble abordaje. Las historias más relevantes de Génesis fueron escritas en el idioma Acadio (el bisabuelo del hebreo y el idioma hablado por los antiguos asirios y babilonios). Las conocemos por los nombres de los personajes principales, *Atrahasis* y *Gilgamesh*.

Dos historias de diluvio muy antiguas

Atrahasis es el nombre del "Noé" de la primera historia. ¿Por qué sucede el diluvio en la historia de *Atrahasis*? Endulzar esto es difícil: Enlil, el alto dios del clima, quiere destruir a los humanos porque están haciendo demasiado ruido. Atrahasis, con la ayuda de Ea, el dios del agua, escapa de la ira de Enlil al construir un gran bote en el cual salva a la humanidad.

Gilgamesh, el personaje principal del segundo relato, es en realidad el nombre de una figura histórica, el rey de Uruk, que vivió alrededor del año 2500 a. e. c. sin embargo, su vida no es un relato histórico. Según la narración, es dos tercios divino y un tercio humano, y tiene trato regular con los dioses. Después de la muerte de su querido amigo Enkidu, Gilgamesh hace un viaje para encontrar el secreto de la inmortalidad. Esta búsqueda lo guía a Utnapishtim, la figura de Noé de esta historia. Él ha obtenido la inmortalidad de los dioses y Gilgamesh espera poder sacarle el secreto. Pero Utnapishtim le dice a Gilgamesh que su inmortalidad vino a través de circunstancias especiales: fue el único sobreviviente del gran diluvio. En esta historia no se nos dice específicamente que llevó al diluvio, pero cuenta que el dios Ea cambió de opinión y le dijo a Utnapishtim que construyera un bote con dimensiones específicas y subiera a la mayor cantidad de animales posible. Así lo hizo y sobrevivió, por la gracia de Ea.

Las similitudes con la historia de Noé son impresionantes: la construcción de un gran barco mediante instrucciones y dimensiones precisas; llevar animales y familia a bordo; la impermeabilización de la puerta con brea (alquitrán); el barco que queda encallado en una montaña; la liberación de los pájaros para ver si las aguas habían disminuido. Similitudes como estas no quieren decir que un escritor se copió de otro. A menudo, las historias fueron transmitidas oralmente; simplemente estaban "en el aire" y las personas hablaban de ellas libremente, adaptándolas según necesitaban.

De todos modos, en el caso del diluvio, Génesis se parece mucho a las otras historias, especialmente a la de *Gilgamesh*, por lo que algún tipo de "préstamo" no sería una idea descabellada. El escritor bíblico bien podría haber tomado algunas ideas específicas de *Gilgamesh* y haberlas ajustado a su historia.

Todo esto nos recuerda que las antiguas historias del diluvio no buscan "informar hechos", aunque, probablemente, el evento que subyace detrás de todas ellas haya sido una inundación regional masiva. Para los pueblos antiguos, israelitas incluidos, el punto era usar el diluvio como plataforma para hablar de *cómo veían* el mundo y su *lugar* en él. Para los israelitas, se volvió una forma de hablar de su Dios —qué lo hacía diferente de los demás, y, por tanto, la razón por la que solo él era digno de su devoción.

La historia del diluvio: versión israelita

Entonces ¿en qué se diferencia Yahvé, en Génesis 6-9, de

los dioses en las otras historias del diluvio? Ya hemos visto que la causa en la historia de *Atrahasis* fue que los dioses se habían cansado del ruido de los humanos. Seguramente, era bueno tener humanos para hacer el trabajo duro que los dioses no querían hacer. Pero, según este antiguo *Grinch*, todo el ruido que había en la "Villa de los Quiénes" acadianos era demasiado.

Sin embargo, la causa del diluvio en Génesis 6-9 es radicalmente diferente. El Dios de Israel no es del tipo que arrasa con toda la vida porque necesita dormir más. Tiene otras razones, y, para entenderlas, necesitamos ver dónde aparece el diluvio en la historia más amplia.

La historia del diluvio comienza en Génesis 6: 14, uno de los pasajes más curiosos del Antiguo Testamento. Aquí, leemos que "los hijos de Dios" (alguna clase de seres celestiales) tienen sexo con las mujeres humanas, a las que encuentran atractivas. Tal entrecruzamiento de los reinos divino y humano es una característica común en las religiones antiguas (piensa en los mitos griegos y el contacto sexual entre dioses y humanos). Pero no para Israel. El mundo que el Dios de Israel creó no es una puerta giratoria entre los reinos divino y humano. En el mundo de Dios, las cosas tienen su lugar, y seres divinos retozando con mujeres humanas viola el *orden de la creación* —el orden establecido en Génesis 1. El diluvio es, en parte, una respuesta para este absoluto desprecio por el orden del cosmos que Dios dispuso.

Dirígete a Génesis 6: 5: hemos llegado a la gota que rebalsó el vaso. La maldad entre los humanos se ha ido de las manos, y Dios lamenta haberlos creado. (Sí, Dios se *arrepiente* de lo que hizo. Vemos a Dios actuando como humano, tal y como hizo en la historia de Adán —cuando caminó en el jardín, interrogó a Adán, y ese tipo de cosas). Es hora de limpiar la pizarra —presionar el botón para reiniciar el cosmos y empezar de nuevo. Sin embargo, Noé es justo e irreprochable (6: 9 y 7: 1). No se nos dice qué hizo para recibir tales elogios, pero resulta ser que él (y su familia) consiguen escapar. Todos los demás humanos se ahogan, junto con los animales (excepto por los que subieron a bordo).

Desde nuestro moderno punto de vista cristiano, Dios podría parecerse más a Megatron[3] que al Dios que amó tanto al mundo que dio a su único hijo (Juan 3: 16). ¿Es realmente la matanza masiva la mejor manera de abordar el problema? ¿Dios no podría haber encontrado otra forma? Necesitaremos aplacar ese tipo de mentalidad si queremos captar qué está pasando aquí.

Para Israel, como también para otras culturas antiguas, tenía que haber *alguna explicación* para un diluvio cataclísmico. Y la explicación de Israel no fue un relato más "históricamente preciso" que los otros. Pero sí nos dice bastante acerca de *cómo entendían a Dios y el lugar de la humanidad en el mundo de Dios* al contrastarlos con las otras culturas a su alrededor.

Su Dios no es gruñón ni mezquino. Más bien, tiene ciertos estándares que la humanidad, que está hecha a su imagen y semejanza (Génesis 1: 26-27), debe defender. En palabras del escritor de la historia, "todos los designios que forjaba su mente tendían constantemente al mal" (6: 5). Esta es la razón que se da para el diluvio, la explicación teológica de Israel para una tragedia masiva: era la respuesta de Dios al fracaso humano de no reflejarlo en el mundo como portadores de su imagen. Dios limpia la pizarra y comienza de nuevo, eligiendo a Noé, el justo, como el nuevo comienzo.

Noé entra a la historia de Génesis 6: 9 con la tercera sección

---

3 Antagonista de *Transformers.* (*N. del E.*)

de "este es el relato de", que nos llevará a través de Génesis 9 (el final de la historia del diluvio). La mayoría de las personas la conocen. Dios le advierte a Noé de la muerte inminente y luego le dice que construya un arca del tamaño de un centro comercial, de acuerdo a un plano específico.

Cuando Noé termina, los animales suben a bordo, de a pares, así como siete de cada uno de los animales "limpios" y aptos para los sacrificios adecuados. Ese pequeño fragmento debería llamar nuestra atención. ¿De dónde viene la idea de "animales limpios"? Como vimos con los sacrificios hechos por Caín y Abel, esta es una pista de que la audiencia israelita exiliada, receptora de esta historia, ya entendía el concepto de animales puros e impuros —aunque eso no será introducido en la secuencia de la Biblia hasta después. El libro de Levítico, parte de los mandamientos de Dios a Moisés en el Monte Sinaí, lo explica: hay algunos animales que Dios acepta como sacrificio (puros) y otros que no (impuros). La realidad israelita postrera se vuelve a leer en estas historias en Génesis —tiempos antiguos, mucho antes de Moisés.

La historia de Noé también hace eco de las historias de la creación (Génesis 1) y Adán (Génesis 2). En el día 1 de la creación, leemos de un "abismo", una masa caótica de agua que hace inhabitable el cosmos. En el día 2, Dios divide las aguas (las de arriba y abajo) y crea un domo para evitar que las aguas caóticas de arriba se estrellen contra la tierra y la vuelvan inhabitable. No nos enteramos hasta Génesis 7: 11 que este domo viene equipado con "ventanas", muy útiles si planeas inundar la tierra y hacerla inhabitable de nuevo. Como leemos en Génesis 7: 11, "desbordaron las fuentes del gran océano [el mismo abismo sobre el cual Dios se cernía en Génesis 1: 2] y se abrieron las cataratas del cielo".

El orden que Dios estableció en el día 2 se revierte en el

tiempo de Noé; Dios reintroduce el caos. El cosmos es como lo fue una vez —sin forma y vacío, *tohubohu*. Y es un veredicto apropiado. Dios solo le está dando a la humanidad una dosis de su propia medicina. Si la creación se comporta de forma "desordenada" y caótica, él desatará las fuerzas del caos para limpiar la pizarra e introducir un nuevo *orden*.

El diluvio podrá ser, como hemos visto, una historia moralmente perturbadora como para abrazar (y lo es), pero el hilo narrativo hasta aquí es *la* forma apropiada para abordar el problema.

El final de la historia del diluvio también nos recuerda a Génesis 1. Dios promete no inundar la tierra otra vez y da una señal de este pacto al proveer un arcoíris (capítulo 8); da la orden de ser fructíferos, multiplicarse, llenar la tierra y dominar al resto de la creación (9: 12). Este, por supuesto, es el primer mandamiento que dio en Génesis 1: 28: que la humanidad sea fructífera, que se multiplique, llene la tierra, y la someta. Noé, sus hijos y todas sus esposas son una creación nueva. Dios presiona el botón: "Probemos otra vez".

Noé es un "nuevo Adán" en el amanecer de una "nueva creación".

Para cerrar la historia, Dios deja el arcoíris como señal de que nunca más destruirá la tierra de esta manera —lo que suena a que lamenta un poco haber arrojado todo por la borda. Pero, para ser claros, el arcoíris no es un dibujo infantil. Es un arma; es el arco de guerra de Dios. Mostrarlo en el cielo después de una lluvia significa que lo está colgando; no más guerra contra su creación. Como veremos, empezando con Abraham, Dios revelará pronto una estrategia para abordar el problema de la humanidad.

La perversa y malévola Canaán

Podrías pensar que los sobrevivientes darían un suspiro de alivio, pensarían un poco sobre el asunto y tratarían de seguir con más énfasis el ejemplo de Noé y ser justos e irreprensibles. Ojalá fuera tan fácil. En un desalentador giro de acontecimientos, la "Creación 2.0" se echa a perder de una manera muy extraña.

Después de bajarse del barco, Noé, inocentemente, planta un viñedo. Luego, bebe unas copas de más y se desmaya dentro de su tienda, con el trasero desnudo. No es una lección moral sobre cuán malo es tomar vino; en realidad, ni siquiera se trata de Noé, sino de la reacción de sus hijos.

Noé tiene tres hijos: Sem, Cam y Jafet. Cam tiene la desafortunada desgracia de descubrir a su padre tirado en el piso, desnudo. Va y les cuenta a sus hermanos. Qué conversación más incómoda. Sus hermanos atinan a volver con una manta, caminando hacia atrás, por respeto, para cubrir a su padre. Noé se despierta de la borrachera y se entera de lo que sucedió. El castigo contra Cam no solo es raudo, sino también un poco exagerado y mal dirigido.

Cuando Noé despertó de su embriaguez y se enteró de lo que había hecho su hijo menor, dijo:

"Maldito sea Canaán.

Él será para sus hermanos el último de los esclavos".

Y agregó:

"Bendito sea el Señor, Dios de Sem,

y que Canaán sea su esclavo". (Génesis 9: 24-26).

¿Realmente merece una maldición el acto de Cam? ¿Y por qué esa maldición no se dirige al culpable Cam, sino a *uno* de sus hijos? ¿Por qué Noé maldice a Canaán por los pecados de su padre Cam? ¿Por qué los descendientes de Canaán son condenados a ser esclavos?

Bueno, aclaremos las cosas, ¿los cananeos son maldecidos como pueblo porque su ancestro Cam, el padre de Canaán, vio a su padre Noé borracho y desnudo? Francamente, la historia de Noé viró hacia una dirección bastante extraña —pero aquí hay otro punto donde debemos recordar que esto es parte de *la historia de Israel contada desde un punto de vista posterior.*

Más tarde, los cananeos tendrán un rol fundamental en la historia de Israel como sus archienemigos. Ellos viven en la tierra que Dios le prometió a Israel a través de Abraham (como veremos). Son el pueblo que Dios ordena que los israelitas deben exterminar después del éxodo. Serán una continua espina para Israel hasta que la monarquía de Israel se establezca.

Además, piensen en Cam *viendo* la *desnudez* de su padre. La última vez que encontramos esa combinación de palabras fue cuando Adán y Eva *vieron* que estaban *desnudos* luego de comer el fruto prohibido. La diferencia es que Adán y Eva fueron avergonzados como resultado, mientras que Cam lo toma con calma, e incluso sale a contarles a sus hermanos. Recuerda que la vergüenza de Adán y Eva vino a través del *conocimiento* que recibieron (demasiado rápido) al comer del árbol del conocimiento del bien y el mal. Cam no tiene vergüenza alguna porque carece de conocimiento. Es un bruto.

La historia del diluvio es el vehículo de Israel para hablar de cómo su Dios es diferente de los dioses de otras naciones. También es un vehículo para que, más tarde, el escritor israelita explique por qué los odiados cananeos merecían todo lo que recibieron, incluyendo ser expulsados violentamente de sus hogares para que los israelitas lo habitaran: han sido una raza maldita desde el principio —porque Cam vio la desnudez de Noé.

Terminamos esta parte de la historia. Noé vivió 950 años y los descendientes de sus tres hijos se diseminan por todo el mundo conocido. El mandamiento de ser fructíferos y aumentar en número está siendo realizado, como veremos en el próximo capítulo: una lista de las naciones descendientes de Noé, que llenan el mundo. (En total, setenta —un número bonito, redondo y perfecto).

CAPÍTULO 7

Génesis 10–12:

Babilonia es malvada

L a historia de Noé nos lleva a otro capítulo de nombres que no conocemos. Pero, antes de que te saltees esta sección (sabemos que quieres hacerlo), nota el comienzo: "estos son los descendientes de" —la cuarta de las diez secciones de Génesis. Así que sabemos que estos nombres son lo suficientemente importantes para tener su propio encabezado.

Recuerda que la lista de nombres significaba algo para los israelitas que registraron estas historias. Eran excautivos en una tierra extranjera, determinados a recordar que eran pueblo de Yahvé, a pesar de la tragedia nacional del exilio. La lista de naciones en el capítulo 10 detalla cómo se esparcieron los descendientes de los tres hijos de Noé para convertirse en los diversos pueblos del mundo antiguo. Esta genealogía muestra que los israelitas —los descendientes de Sem— fueron el centro del plan de Dios después del diluvio.

LAS NACIONES DE GÉNESIS 10

- J DESCENDIENTES DE JAFET
- H DESCENDIENTES DE CAM
- S DESCENDIENTES DE SEM

El primer hijo de Noé es Jafet, y se mencionan catorce naciones que descienden de él. Se dice que ocupan lo que ahora son partes de Turquía y Grecia, y algunas áreas más al norte. Cada una de estas catorce naciones tiene su propio *lenguaje* (este detalle será importante en un minuto). Cam, mencionado en segundo lugar, es el sombrío ancestro de prácticamente todo aquel que dará algún tipo de problemas a los israelitas más adelante (treinta son mencionados en Génesis 10: 6-20), incluyendo los cananeos, egipcios, asirios y babilonios. Estos últimos dos se establecen en *Senaar* (ver v. 10; algo que también será importante en un minuto), y tienen su propio lenguaje.

Finalmente, Sem y su familia aparecen en la lista, también con sus propios lenguajes. "Sem" es de donde proviene la palabra "semita", que para nosotros es sinónimo de "judío". Aquí, se refiere al grupo de personas de donde provienen los israelitas. Este listado funciona como el último en Génesis 5, que se concentra en la historia de la familia de Set y nos envía rápidamente a Noé. La lista en el capítulo 10 centra nuestra atención en la familia de Sem, enviándonos rápidamente a Abraham, la figura central en los comienzos humildes de Israel.

Pero, antes de que lleguemos a Abraham, y para demostrar algo una última vez antes de continuar, el escritor toma un pequeño desvío hacia la tierra de Senaar y un proyecto de construcción desacertado.

De nuevo los babilonios

En Génesis 10, vemos una lista de naciones, y, luego, en 11: 10, comienza la genealogía de Abraham. En el medio, como en un sándwich, hay una historia curiosa de solo nueve versículos, que empieza abruptamente: "Todo el mundo hablaba una misma lengua y empleaba las mismas palabras".

¿En serio? Acabamos de leer, en el capítulo 10, que había tres grupos de base, cada uno con su propia lengua (10: 5, 20, 31), esparcidos en setenta naciones por todo el mundo (conocido). ¿Qué pasa? ¿Acaso el escritor bíblico no sabía que se estaba metiendo en problemas, al colocar dos historias contradictorias (Génesis 10 y Génesis 11) una junto a otra? ¿Estaba quedándose dormido sobre la mesa de edición o simplemente tenía malas habilidades organizacionales? Si lo que quería era confundirnos, lo hizo.

Pero no era la intención del escritor. Intenta llamar la atención del lector, y poner estas dos historias juntas no es un acto descuidado. Para entender el punto, debemos recordar, una vez más, que Génesis fue creado por israelitas que habían sido capturados por los *babilonios* —como la torre de Babel.

El pequeño interludio de nueve versículos asume la existencia de un pueblo con una lengua, instalado en la "llanura de Senaar". ¿Recuerdas quién se establece en Senaar en el capítulo 10? ¡Claro! ¡Los babilonios! Los enemigos que más tarde destruyen el templo y los llevan cautivos.

Este grupo posdiluvio planea construir una famosa torre que alcance los cielos. Este tipo de estructura antigua, llamada *zigurat*, es bien conocida hoy —gracias a los descubrimientos arqueológicos— como una estructura común de adoración en el mundo antiguo. Se parece a una pirámide con escaleras a los lados y un altar en la parte de arriba. Dado que los dioses estaban por algún lugar muy arriba, construir una "escalera al cielo" era un intento de ponerse en contacto con ellos. En contraste, las estructuras de adoración de Israel (el tabernáculo y, luego, el templo) no tenían escalones al cielo. En su lugar, Israel esperaba que fuera Dios quien bajara.

Pero los babilonios tenían sus zigurats; y, seguramente, esta historia se lee como un golpe contra su arrogancia y orgullo por construir una estructura que llegue al cielo para llamar la atención de Dios. Y la respuesta de Dios en esta historia es tan cómica como irónica. 1) Dios baja a ver este edificio alto que supuestamente alcanza al cielo (11: 5); 2) la torre es construida para evitar que las personas se dispersen sobre la tierra (11: 4); sin embargo, eso es exactamente lo que sucede.

La confusión de idiomas es un juego de palabras. El término hebreo para *confundir* es *balal*, que el escritor cruza con el hebreo *babel* (como "Babilonia") —que es de donde viene *balbucear*. El relato no da un detalle acabado a nivel histórico sobre el origen de estos idiomas. Es una ingeniosa sátira política de camino a la historia de Abraham. Babilonios tontos, estúpidos y arrogantes.

Además, piensa en este episodio como Génesis 6: 14 a la inversa. Ahí, los hijos de Dios sobrepasan los límites establecidos para el cosmos y *caen*, con graves consecuencias. Ahora, estos babilonios intentan romper los límites cósmicos *al subir* para estar al nivel de Dios. Mucho después en la historia de Israel, los babilonios se rebelarán contra el Dios verdadero cuando saqueen la casa de Dios, el Templo de Jerusalén, y se lleven a Israel y los tesoros del templo a Babilonia. Esta historia es el modo de los posteriores israelitas para decir "¿Otra vez? Los conocemos bien, babilonios. Sabemos cómo empezaron y parece que las cosas no han cambiado mucho".

Los capítulos 10 y 11 nos dan explicaciones diferentes de por qué las personas son esparcidas por todo el mundo conocido y hablan diferentes idiomas. La lista de naciones en el capítulo 10 muestra a las personas que se extienden por todo el mundo después del diluvio, tal como se supone que deben hacer (9: 1, 7). Son fructíferos y se multiplican, producen setenta naciones, un número de realización o perfección. También le da un buen golpe a uno de los enemigos posteriores de Israel, los cananeos. Sin embargo, la historia de Babel en el capítulo 11 pinta mal el hecho de las diferencias lingüísticas nacionales al culpar a los babilonios por este lío de confusiones. La historia apunta a señalar con el dedo acusador a Babilonia: "Has sido un dolor de cabeza molesto, destructivo".

Estas dos explicaciones del cómo los seres humanos terminaron hablando diferentes idiomas, claramente no eran un problema para los escritores y editores del Antiguo Testamento. Y nosotros tampoco deberíamos hacernos problema al insistir en que ambos capítulos deberían decir lo mismo.

Humanidad fallida, les presentamos a Abraham

Y, con ese episodio, estamos al borde de algo nuevo, una vez más: otro elegido, Abram (más tarde renombrado por Dios como Abraham), que será el padre de *una* nación, Israel. Génesis 1-11 nos ha traído hasta este punto. El mundo es un desastre, pero hay un linaje —que va desde Adán hasta Abraham (habiendo pasado por Set, Noé y Sem)— que Dios pretende usar para limpiar este desorden. O, mejor, digamos que Dios se está moviendo para ordenar el caos una vez más; no como en los días de Noé, cuando "limpió la pizarra", sino trabajando a través de un pueblo, apartándolo para él, como con Adán y Noé.

La pregunta acuciante aquí es si Abraham, este nuevo "Adán", funcionará. Y lo hace, pero no sin momentos que hagan que los lectores entren en pánico y sin un desarrollo verdaderamente inesperado.

Entremos en Abraham, cuya historia se presenta al final de "los descendientes de Sem" (11: 10-26), en la quinta sección de Génesis. Rápidamente, nos movemos a la sexta sección en 11: 27 con "los descendientes de Taré", el padre de Abraham. Parece que el escritor está quemando sus diez secciones asignadas bastante rápido: ya van seis, y ni siquiera salimos del capítulo 11. Pero esta sección tomará tiempo: no veremos otra hasta el capítulo 25. Después de todo, el linaje de Taré se trata sobre Abraham, *el* personaje central en Génesis, y, junto con Moisés y el Rey David, uno de los tres personajes centrales en todo el Antiguo Testamento.

El capítulo 11 termina con Taré llevando a su familia fuera de Ur (en Babilonia), y moviéndola hacia el noroeste, a lo largo de los dos ríos (el Tigris y el Éufrates) hacia Jarán, al norte de la tierra de Canaán. Los escritores añaden aquí que Sarai, la esposa de Abraham (más tarde renombrada Sara), es estéril, lo cual será un punto clave muy pronto.

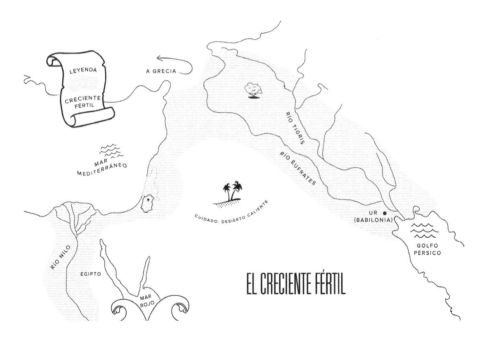

EL CRECIENTE FÉRTIL

Los preámbulos terminaron. Al escritor le ha llevado once capítulos preparar a los lectores para entrar en la historia de Israel; desde un círculo familiar ampliado a una nación destinada por Dios para ser bendecida por él y ser una bendición a las naciones. Al menos, ese es el plan. El resto del Antiguo Testamento nos contará con gran detalle sobre la lucha entre Dios e Israel, mientras Dios trata de mover a la nación hacia su llamado.

CAPÍTULO 8

Génesis 12–22: Abraham es elegido

Estamos frente a una transición importantísima en la historia de Génesis, y es una buena idea tomarse un minuto y recordar cuán importante es dejar de lado ciertos hábitos de lectura modernos. A menudo, se nos enseñó a leer la Biblia en la misma forma en que leemos *Las Fábulas de Esopo* —como una colección de historias cortas, independientes. Pero las historias bíblicas están englobadas como diferentes partes de una misma línea argumental. Si olvidamos eso, nos quedamos con "la historia del arca de Noé" o "la historia de José" como cuentos aislados con, quizás, algunas enseñanzas morales.

Génesis no fue escrito como *un libro de fábulas o cuentos cortos*. Fue escrita al estilo de *Alicia*. Cuando leemos *Alicia en el País de las Maravillas* a nuestros hijos, siempre quieren saber qué sucede a *continuación*, porque tienen claro que cada parte se une a otra como una historia que encontrará su clímax al final del libro, no de un episodio aislado. Pensar, por ejemplo, que podemos entender completamente la historia del sacrificio de Isaac por parte de Abraham, en Génesis 22, sin leer los primeros 21 capítulos, es como saltearse la fiesta del té en *Alicia* y pensar que el "punto" de esa historia es que nunca debemos cenar con alguien que esté loco y use sombreros extraños.

Génesis no es una serie de cuentos concisos con lecciones morales, sino una serie de pasos intermedios vitales en la historia de los comienzos de Israel.

De forma intencional, hemos invertido mucho tiempo en los primeros once capítulos de Génesis. Seguro; son algunos de los más controversiales, pero esa no es la razón principal de porqué les prestamos tanta atención. Estos capítulos están preparando la historia de Israel al relatarla en miniatura. La historia de Israel está establecida con un telón de fondo oscuro: el mundo, claramente, está apagado. El caos continúa amenazando el orden de la creación. En un episodio horrorífico, Dios pretende empezar todo de nuevo con Noé, pero no da muchos resultados. ¿Qué sucederá a continuación? ¿Qué hará Dios? Estas son las preguntas que nos quedan al terminar Génesis 11. El destello de esperanza está en un linaje familiar que empieza con Adán, continúa a través de Set, y ahora prosigue en Taré.

El destello se vuelve más intenso a medida que llegamos a Génesis 12. Dios inicia una relación con un residente de la ciudad de Ur, en Babilonia; un hombre llamado Abram, que más tarde se convertirá en Abraham. El escritor de Génesis mantiene nuestro foco en Abraham hasta su muerte, en el capítulo 25. Luego, la cámara enfoca a su hijo Isaac, y luego a Jacob, el hijo de Isaac, que será renombrado Israel. De los lomos de Abraham, Dios hará un pueblo, y eventualmente les dará una tierra, aunque no es el único objetivo. Dios está formando una nación, y su destino es ser una herramienta que Dios usa para restaurar el orden del caos de los capítulos 3-11.

Un héroe poco probable

Taré y sus hijos se van de Ur y se establecen en Harán, una ciudad a 970 km al noroeste a lo largo de un afluente del río Éufrates. Acá empieza la historia de Abraham —y de manera un tanto abrupta, como si entráramos en medio de algo que viene de antes. Génesis 12: 13 dice:

El Señor dijo a Abram: "Deja tu tierra natal y la casa de tu padre, y ve al país que yo te mostraré. Yo haré de ti una gran nación y te bendeciré; engrandeceré tu nombre y serás una bendición. Bendeciré a los que te bendigan y maldeciré al que te maldiga, y por ti se bendecirán todos los pueblos de la tierra".

No se nos dice cómo un refugiado de la Mesopotamia conocía quién era el SEÑOR (Yahvé)[1] —o, incluso, por qué Yahvé se preocuparía por él. De hecho, Josué 24: 2 muestra que no solo Taré, sino toda su familia, ha tenido un pasado religioso extraño mientras vivía en Mesopotamia: "Sus antepasados, Taré, el padre de Abraham y Najor, vivían desde tiempos antiguos al otro lado del Río, y *servían a otros dioses*". Oh, cielos. ¡Disculpa, escritor de Génesis! ¿Qué tal si nos das una pista a los lectores modernos?

---

1 Yahvé es el nombre personal de Dios, aunque es casi una adivinanza saber exactamente cómo debería pronunciarse (Jehová es otro enigma). Los judíos antiguos sustituyeron la palabra "Adonai" cada vez que se escribía el nombre divino, por respeto a Dios y para evitar romper el Tercer Mandamiento (no utilizar en vano el nombre de Dios). "Adonai" significa "señor", y, cuando reemplaza el nombre divino en las Biblias inglesas, se escribe SEÑOR, en versales.

¡¿Qué se supone que hagamos con el pedigrí mesopotámico de Abraham y todo el tiempo que invirtió en la idolatría de ídolos?! ¿Y qué hizo que su padre tomara a su familia y simplemente se la llevara a Ur (no se le da algún mandamiento divino a Taré)? Además, ¿qué hizo para merecer este encuentro con Dios y convertirse en el padre de todo Israel?

Bienvenidos a la Biblia: los detalles que deseamos no siempre se nos dan. Pero piensa en el relato de Abraham como en la historia de Adán: otra historia de Israel en miniatura. Más tarde (539 a. e. c.), la nación de Israel (específicamente, la nación del sur de Judá) también dejaría Babilonia y sería guiada por Dios a Canaán. El primer ancestro de Israel salió de Babilonia, tal y como la nación lo haría siglos después. El exilio y el regreso a la Tierra Prometida no es una historia que solo cuente el fracaso de Israel: refleja la historia de su primer padre elegido. El Dios que se mostró fiel a Abraham también será fiel a los que regresaron del exilio.

Una vez que conocemos a Abraham en Génesis 12, la acción va de cero a sesenta en solo tres versos: "Hola, Abraham; soy el Dios Yahvé. Ahora sígueme hacia un lugar desconocido para que pueda transformarte en el padre de una nueva nación y fuente de bendición para todo el mundo". El anuncio es algo tremendo y seguirá a Israel a lo largo de Génesis y del Antiguo Testamento, tanto en momentos de triunfo, como de tragedia —Abraham es bendecido y será una bendición a muchos.

Quizás hayas notado que estos tres versos hacen eco con la creación original de Dios. La descendencia de Abraham se convertirá en una "gran nación" —luego se dirá que será tan numerosa como las estrellas en el cielo o la arena del mar (ver capitulo 15). Hablando de fructificar y multiplicarse (Génesis 1: 28). Hemos visto este mismo uso de lenguaje de creación en la historia de Noé, y lo veremos de nuevo en Génesis. Cada etapa del viaje de Israel es como un "nuevo comienzo", un recordatorio de que su historia está unida a, y quizás está completando los propósitos de, la historia original de creación. Esta es la otra cara de lo que vimos en el capítulo 3: la historia de Adán mira hacia adelante, a la de Israel; la historia de Abraham mira hacia atrás, a la creación.

Más vistazos del futuro de Israel

Unos pocos versos después de haber recibido este mensaje de Dios, Abraham se encuentra en medio de una hambruna y en necesidad de adentrarse en Egipto para encontrar algo para comer. Mientras está ahí, hace pasar a su esposa como su hermana para salvarse el pescuezo (12: 10-20). Aparentemente, Sara es una mujer sensual de setenta y cinco años, y Abraham está convencido de que, cuando los Egipcios posen su mirada en ella, harán lo que sea para conseguirla, incluso matarlo. Así que se les anticipa y, en pos de ganarles, simplemente se las entrega. Buena jugada, valiente Abraham, padre de una nación. Incluso, el acuerdo lo beneficia económicamente.

Un poco más tarde en la historia, Abraham se acuesta con Agar, la sirvienta de su esposa, para tener un hijo; lo consigue y nombra Ismael al pequeño. Para ser justos, la idea de "acostarse con la sirvienta" en realidad fue de Sara, no de Abraham. Aun así, Sara se pone celosa y Agar tiene que huir para salvarse. Más adelante, vuelve. Pero, muchos años después, Sara le dice a Abraham que se deshaga del bastardo y de su madre (¿acaso cambiamos de canal a la novela de la tarde?). Abraham concuerda y los manda al desierto con un pequeño vaso con agua. Sobreviven solo por la intervención de Dios.

Estos episodios subrayan cómo la historia de Abraham refleja la de Israel. En primer lugar, aunque Abraham es llamado por Dios, su comportamiento en estos episodios deja mucho que desear, lo que, en pocas palabras, emula las luchas de Israel con Dios.

Más aún, el viaje de Abraham a Egipto refleja un episodio clave en la historia de Israel: el éxodo desde Egipto. Abraham entra a Egipto por una hambruna, como lo harán Josué y los israelitas al final de Génesis. Sara se convierte en propiedad del Faraón, pero luego Dios envía una "plaga" sobre él y su familia (12: 17). El faraón no quiere saber nada con el Dios de Abraham, lo llama a su presencia y le dice que se vaya de Egipto (12: 18-20), justo como otro faraón, más tarde, llamará a Moisés a su presencia y ordenará que tanto él como su pueblo dejen Egipto. Y ambos, Abraham e Israel, dejan Egipto y se llevan un gran botín (12: 16).

Los lectores perceptivos de la Biblia habrán notado el éxodo en miniatura en la historia de Abraham. Los israelitas que dieron forma a esta historia estaban escribiendo desde una perspectiva más tardía, haciendo una retrospección de su largo viaje. Dios tiene un largo historial en liberaración de su pueblo —incluso a Abraham, el primer israelita— de tierras extranjeras. Para estos narradores de historias que viven a raíz del exilio, la cautividad babilónica no era un castigo que amenazaba la existencia de los israelitas como pueblo de Dios. En su lugar, solo era el ejemplo de un patrón de cómo Dios había lidiado con los israelitas todo el tiempo: "Sí, el exilio era un castigo, pero no era el fin. Así lo dice nuestra historia antigua".

Muchas personas y una tierra propia

Mientras llegamos a Génesis 15, Abraham le expresa a Dios algunas dudas acerca de la promesa de tierra y descendencia. Le dice: "No me has dado hijos. Me estoy volviendo viejo y no puedo esperar para siempre. Voy a tomar cartas en el asunto y voy a hacer heredero a unos de mis siervos". Dios le devuelve la pelota: "No harás tal cosa. Te daré un hijo propio, como prometí. No solo eso, sino que también te daré una tierra. Solo espera".

Abraham confía en que Dios le dará un hijo propio (15: 6), pero no está seguro sobre la tierra: "Señor, respondió Abram, ¿cómo sabré que la voy a poseer?" (15: 8). Quiere alguna garantía. Así que Dios firma un contrato con él, por así decirlo. El término bíblico es "pacto" y, aunque no lo utilizamos en conversaciones diarias, esa es una buena palabra para lo que sucede en Génesis 15: 820. Dios está haciendo una promesa formal a Abraham. Se compromete a cumplir.

La ceremonia representada aquí se llama *juramento de "automaldición"* —o, más técnicamente, un *juramento de autoimprecación*. Abraham es instruido a cortar ciertos animales sacrificiales a la mitad (en sentido longitudinal) y recostar las mitades una frente a otra, dejando un camino entre ellas. Luego, Dios, en la forma de un horno humeante y una antorcha encendida, pasa entre los pedazos en un gesto simbólico: "Que yo sea como estos pedazos si no cumplo mi juramento hacia ti, Abraham".

Nota que este pacto se trata sobre la promesa que Dios le hace a Abraham. Otros pactos antiguos entre reyes y sujetos eran de doble vía: "Soy tu rey, y he aquí lo que voy a hacer por ti [protegerte de los invasores], y he aquí lo que tú harás por mí [pagarme un tributo, adorarme, no rebelarte contra mí]". El pacto de Dios con Abraham es diferente: "Soy tu Dios y esto es lo que haré por ti". Punto ¿Cuán a menudo vemos una figura de autoridad comprometiéndose con sus interlocutores sin, al menos, esperar su voto en las próximas elecciones?

También vemos otro adelanto de la historia del éxodo: el horno humeante y la antorcha encendida que pasa entre las mitades de los animales adelanta los pilares de nubes y fuego en el Mar Rojo. De hecho, en Éxodo 2: 24-25 leemos que la liberación de Israel de Egipto se debió a que Dios cumplió esta promesa a Abraham.

A Abraham se le promete que será fructífero y se multiplicará —Dios le dará tantos descendientes que no se podrán contar. Y se le promete una tierra que podrá llamar propia, una tierra que, luego, se conocerá como "de leche y miel" (Éxodo 3: 8), palabra clave para hablar de una porción de propiedad paradisíaca —como el Edén.

Personas y tierra. Esta promesa que se le hace Abraham no es aleatoria. Dios está creando un pueblo y un lugar para ellos en Canaán, así como había situado a Adán en el Edén.

¿Es Ismael?

Ese es un panorama a vuelo de pájaro; pero, en el capítulo 16, todavía no hay ningún hijo a la vista para Abraham. Así que Sara (Sarai) toma cartas en el asunto y le sugiere un plan B.

~~~~~~

Sarai, la esposa de Abram, no le había dado ningún hijo.
Pero ella tenía una esclava egipcia llamada Agar. Sarai dijo
a Abram: "Ya que el Señor me impide ser madre, únete a
mi esclava. Tal vez, por medio de ella, podré tener hijos". Y
Abram accedió al deseo de Sarai (Génesis 16: 12).

~~~~~~

Tienes que hacerte la pregunta: ¿Es esta la forma en la que
Dios pretendía darle hijos a Abraham? ¿A través de una esclava en
vez de su mujer? Y que Agar sea egipcia solo dificulta las cosas. ¿Es
a través de los egipcios, entre la cantidad de pueblos que hay, que
Dios llevará adelante todo este asunto?

Como mencionamos antes, es bastante posible que
Abraham y Sara hayan resuelto que Agar sea quien engendre al
niño prometido. Después de todo, Sara es demasiado vieja para
tener hijos. Puede que no esté actuando impulsivamente, sino
lógicamente. Y recuerda que Dios no menciona a Sara en su
promesa; él nunca dijo quien sería la madre. Finalmente, en el
mundo antiguo, era una práctica común usar una madre subrogada
para asegurar descendientes.

Por el otro lado, vemos aquí una ambigüedad burlesca en
esta historia. Leemos que Abraham "escucha la voz" de Sara. Esta
es una expresión para "obedecer". La última vez que un esposo
"escuchó a la voz" de su esposa, terminó siendo un desastre: Adán
le dio un mordisco a la fruta prohibida que Eva le había ofrecido
(Génesis 3: 17).

Entonces, ¿qué debemos concluir de esta pareja? ¿Y qué piensa Dios de este arreglo? No lo sabemos. Nunca se asoma a decir: "¿Cómo te atreves a tomar el asunto en tus propias manos? ¡Deberías haber esperado a que yo te lo dijera!". ¿Podría haber estado de acuerdo con esto? Recuerda que Sara termina siendo tan dura con su esclava Agar que la exilia al desierto, pero Dios va a su rescate —algo que esperarías que hiciera por los israelitas. Dios le dice a Agar que vuelva con Sara, y le promete que tendrá un hijo y, eventualmente, tantos descendientes que no podrá contarlos —esto refleja claramente la promesa de Dios a Abraham (ver 6: 7-16).

Parece que Dios mantiene su palabra de honrar la descendencia de Abraham —no importa quien sea la madre. Incluso, Ismael recibe su propia sección de "estos son los descendientes", en Génesis 25: 12-18, aunque es bastante breve. De todos modos, los descendientes de Ismael están destinados a ser unos cuantos tipos hostiles y peleadores con todos los que lo rodean (16: 12 y 25: 18). Ciertamente, la historia de Ismael es ajetreada y tiene múltiples capas. Uno de los propósitos parece ser explicar por qué los israelitas están históricamente en tensión con el pueblo del sur de Canaán —y por qué estos pueblos son tan parecidos a ellos. Al ser los israelitas los que cuentan la historia, los hijos de Ismael —estos hermanastros— simplemente nacen para ser un grupo muy irritable. Así lo dijo Dios.

Así que, no; no es Ismael. Pero es el que más se acerca. El hijo que "nació en virtud de la promesa", como lo expresa el apóstol Pablo (Gálatas 4: 23), tendrá a una vieja y estéril Sara como madre.

Abraham, el obediente a la Ley

Pasan trece años del incidente de Agar, y no hay señal de que Dios cumpla su promesa. Recién cuando Abraham tiene noventa y nueve años, Dios aparece con un recordatorio: "Nuestro trato todavía está en pie. La tierra y las personas aún están en camino". Pero agrega algo al acuerdo previo. Abraham tiene que *hacer* algo para mostrar su fidelidad a Dios: circuncidarse, circuncidar a cada uno de sus hijos y a todos sus esclavos. Sin excepciones. Y es un mandato que no caduca; un "mandamiento sin fin" para ser observado desde aquí en adelante cuando los niños tengan ocho días (ver 17: 9-14) de vida. La multa por incumplimiento es ser "cortado" de los israelitas, un juego de palabras sorprendente, que probablemente significa algo así como "excomulgado". (Pablo hace un juego de palabras similar en Gálatas 5: 12. Léelo y trata de no reírte si estás en la iglesia).

La circuncisión. ¿De dónde rayos viene esto? Puede que tome al lector con la guardia baja. Pero no era una nueva idea en esos tiempos. La circuncisión era un ritual antiguo practicado por otras culturas, además de Israel, que data de más de mil años antes del tiempo de Abraham. Pero, aun así, no se nos da ninguna explicación de lo que el ritual significaba específicamente para Israel. En algunas culturas, los de sexo masculino eran circuncidados a los ocho días. Algunos piensan que estaba prescrito con propósitos higiénicos, aunque esto no hubiera sido relevante para los israelitas antiguos. Quizás el órgano de procreación estaba siendo "reclamado" por Dios para indicar que la descendencia de Abraham era suya y que el futuro de Abraham y Sara yacía solamente en sus manos.

La circuncisión servía a un claro propósito como señal

de identidad étnica y religiosa; una señal física de que Abraham y todos sus descendientes estaban comprometidos a Yahvé y pertenecían a él. Sería la marca del pueblo de Dios, de quién estaba adentro y quién afuera. Otros pueblos que encontrarían los israelitas (especialmente los filisteos, el dolor de cabeza perenne) serían conocidos por el despectivo "incircuncisos".

En el acuerdo de Génesis 18 leemos un poco más sobre las obligaciones de Abraham. Tres "visitantes" misteriosos (dos parecen ser ángeles y uno parecer ser Dios) están en camino para destruir Sodoma y Gomorra (lo que sucede en el capítulo 19). Se detienen y le dan una visita a Abraham, y reiteran la promesa del capítulo 17: dentro de un año, él y Sara tendrán un hijo. También le transmiten lo siguiente: necesita "mantenerse en el camino del Señor, practicando lo que es justo y recto. *Así,* el Señor hará por Abraham lo que ha predicho acerca de él" (18: 19). Hasta este punto, la promesa de un niño y la tierra solo ha sido eso, una promesa. Pero, ahora, se agrega algo al trato. Es como que compres un auto y que, cuando estás a punto de firmar, te digan: "Oh, por cierto, hay algunos impuestos y honorarios que necesitamos discutir".

Para que esto tenga algún sentido, tenemos que recordar, una vez más, que los israelitas posteriores, durante su propia crisis nacional, fueron los responsables por la forma que tomará la historia. Estaban en el exilio por fracasar en seguir los caminos de Dios. Obviamente, en tiempos de Abraham, no había ley formal de Dios (eso no vino hasta el Monte Sinaí, en el libro de Éxodo). Entonces, ¿a qué se refiere aquí con "el camino de Yahvé"? Bueno, incluso en este estadio, Abraham es retratado por los escritores tardíos como un israelita obediente a la ley. Es similar a la forma en que los europeos pintaron a Jesús y María durante el Renacimiento para hacerlos parecer muy pálidos —el presente está pintado en el pasado.

Tal vez, estemos tentados a pensar en esto como una "distorsión de la historia", pero es el problema de leer con ojos modernos. Los israelitas vieron este retrato de Abraham como un *conector* del presente con el pasado, lo cual hemos visto a lo largo de todo el Génesis hasta aquí. Veremos, nuevamente, a Abraham descrito como un guardador de la ley en Génesis 26: 45, cuando Dios le dice a Isaac: "Yo multiplicaré tu descendencia como las estrellas del cielo, y le daré todos estos territorios, de manera que por ella se bendecirán todas las naciones de la tierra. *Haré esto en premio a la obediencia de Abraham, que observó mis órdenes y mis mandamientos, mis preceptos y mis instrucciones*". ¿Qué son las "órdenes, mandamientos, preceptos e instrucciones"? Es lenguaje del Antiguo Testamento de manera muy concreta, y se refiere a la ley de Moisés, especialmente el Deuteronomio.

Estas son palabras que reflejan claramente un contexto posterior, con lectores que ven en retrospectiva su propia historia, para observar que seguir los caminos de Dios no es más que seguir los pasos de Abraham. La historia antigua de Israel fue escrita para el beneficio de una audiencia muy posterior. Esto no quiere decir —solo para dejarlo claro— que los israelitas posteriores hayan inventado historias. Hay algunas dudas de si construyeron sobre historias antiguas de su pueblo, tal vez escritas, tal vez orales. Pero a esas historias se les dio la forma actual para ayudar a darle sentido a la identidad de Israel como nación en el exilio.

¿¡Que Dios le dijo a Abraham que le haga qué a Isaac!?

Desde Génesis 12-18, hemos estado leyendo sobre varias décadas de idas y vueltas entre Abraham y Dios, a la espera de que aparezca este hijo prometido. ¿Por qué tarda tanto? ¿Por qué Dios no lo hace de inmediato? Sara no está volviéndose más joven, ¿sabes? (Por cierto, en la mentalidad antigua, siempre que una pareja no tenía hijos, era culpa de la mujer. El hombre, claramente, estaba haciendo su trabajo, por así decirlo, así que si no se conseguía ningún niño, ya tenían a la culpable). Ismael ya tiene catorce años. Podemos imaginar la frustración de los padres al ver que el hijo mitad egipcio de la esclava crece como hierba, mientras Dios se toma su tiempo en cumplir la promesa.

Claro, el punto de toda esta espera es lograr el objetivo principal de manera muy clara: el cumplimiento de la promesa es un momento solo de Dios. Este plan de hacer un nuevo pueblo a través de Abraham, el nuevo Adán, es totalmente su obra — totalmente su creación. Israel existe únicamente por el acto creativo de Dios. Y estamos a punto de que se nos recuerde, aun de otra manera.

Finalmente, el hijo prometido nace en Génesis 21, luego de décadas (o capítulos, en nuestro caso) de espera. Lo nombran Isaac, y todos viven felices por siempre, ¿no? No en esta historia.

Por algo, Sara aprovecha la oportunidad de hacer lo que deseaba hacía catorce años. Ahora que tiene un hijo propio, quiere que Agar e Ismael desaparezcan de una vez y para siempre, para que Isaac pueda reclamar toda la herencia para sí mismo, sin competencia. Abraham está un poco triste, pero escucha a

Sara luego de que Dios le dice que lo haga. Abraham manda a su sirvienta y a su hijo por su camino con algo de comida y agua, que pronto se acaba, y parece el fin del espectáculo. Pero, una vez más, Dios viene al rescate, le muestra un pozo a Agar, y promete hacer de Ismael una gran nación.

Esperaríamos que la esperanza del nacimiento de un hijo hiciera que todos se relajaran aunque sea un poco y celebraran, pero eso no sucede. Después de una buena cantidad de tiempo (años, pero no estamos seguros de cuántos), llegamos a una historia que te hace preguntar si el Dios de Abraham no es un poco arbitrario —o incluso injusto: Dios le dice a Abraham que vaya al Monte Moria y sacrifique a Isaac como una ofrenda quemada.

Dios está probando a Abraham —la historia deja esto en claro en el primer versículo (22: 1). Y Abraham es obediente. Hace todos los preparativos y está a punto de cortarle la garganta a su propio hijo, cuando el ángel de Yahvé le dice, en el último segundo, que no continúe. Dios ve el grado de obediencia de Abraham. Pasa la prueba (no como Adán y Eva en el Jardín).

Gran final. Pero en realidad es un poco inquietante ver 1) cuan dispuesto está Abraham a sacrificar a Isaac; y 2) que Dios no pueda pensar en otro tipo de prueba. Ambas preguntas han perturbado a los lectores de esta historia durante 2000 años, mientras se esfuerzan por tratar de entender qué es lo que está haciendo Dios, especialmente porque otras partes de la Biblia dicen que odia el sacrificio de niños (por ejemplo, 2 Reyes 16: 3).

Y Dios no parece estar bromeando en Génesis. No podría estar haciéndolo. Porque, para que sea una prueba real, tiene que actuar en serio, y Abraham tiene que saber que Dios va en serio. Entonces, Dios le dice seriamente a Abraham que ponga a Isaac en la tabla de picar, y existe una posibilidad real de que Abraham siga con esto hasta el final.

Como dijimos, muchos han luchado contra este relato, pero podemos hacer algún tipo de progreso al mirarlo desde el punto de vista de —y ya saben lo que viene — los israelitas posteriores. Los israelitas estaban en contra del sacrificio infantil. Eso es algo propio de los dioses paganos y sus pueblos. Pero el Dios de Israel reclamó al primogénito como pertenencia. Lee Éxodo 13, especialmente los versículos 1 y 11-13. Los primeros nacidos de cada vientre, animal o humano, pertenecen a Yahvé. Si el primogénito es un animal, *"se lo das"* a Yahvé, (lo sacrificas). Sin embargo, puedes "redimir" un burro con un cordero; que quiere decir que el cordero puede tomar el lugar del burro (los burros eran animales impuros, y también eran necesarios para transportar cosas).

¿Qué hay de los primogénitos humanos? Ellos también se redimen con un animal. En Números 8: 17, vemos una forma en la que se redimían a los primogénitos humanos: la tribu de Leví es un sustituto del primogénito de Israel. Dios toma a la tribu "para sí mismo", no para matarla, sino para separarla de las demás y así ejecutar el sistema sacrificial del tabernáculo (y luego en el Templo). El punto es que, aun el primogénito israelita, *"pertenece"* a Dios. Solo que él decide no realizar el sacrificio y aceptar un substituto.

La historia de Isaac tiene un poco más de sentido si tenemos en cuenta ese trasfondo. Es una historia sobre si Dios ejercería todos sus derechos sobre el primogénito; si realmente requeriría que Abraham continuara con el sacrificio, si diría: "No hay sustituto".

Abraham le contesta a Isaac —quien le pregunta dónde está el animal para el sacrificio— que "Dios mismo proveerá el cordero" (Génesis 22: 8). Pero sustituir un animal por un humano no es instituido hasta el Monte Sinaí, así que, en este punto de la historia, no tenemos ningún modo de saber si esto estaba en la mente de Abraham. Unas de las deliciosas ambigüedades de la historia es si Abraham está expresando fe en que, en realidad, Dios no le haría hacer todo esto (siendo optimista), o solo trata de evitar que Isaac haga demasiadas preguntas. De todos modos, a fin de cuentas, Dios (más específicamente, el Ángel del Señor) interviene e Isaac es perdonado. Abraham ha pasado la prueba: "*Ahora sé* que temes a Dios, porque no me has negado ni siquiera a tu hijo único" (v. 12).

Ciertamente, esta historia genera muchas preguntas, pero es clara en un tema en particular, al menos: el mandamiento de Dios a Abraham sobresalta la naturaleza radical y riesgosa de una verdadera confianza en Dios. Después de décadas de oír sobre la promesa de un hijo y luego, finalmente, tener a Isaac, lo cual tuvo que haber sido una señal de seguridad y de buenos tiempos por delante, se encuentra amenazado de la manera más contradictoria —incluso absurda— imaginable.

Los israelitas que moldearon esta historia en su forma definitiva, aquellos que vivieron las consecuencias de la adormecedora tragedia nacional del exilio babilónico (586-539 a. e. c.), también se preguntaban sobre la confianza en la bondad y fidelidad de Dios hacia ellos. Fueron confrontados con la elección de la confianza radical en que Dios intervendría por ellos como lo hizo por Isaac y los libraría de las terribles circunstancias. Y, de hecho, lo hizo: Israel es, fue, y siempre será el hijo de Dios (Éxodo 4: 22), como lo fueron Isaac y Abraham.

Ahora, Génesis continuará con algunos episodios sobre Isaac, incluyendo la muerte de su madre y su padre, antes de proseguir rápidamente al nieto de Abraham, Jacob, el verdadero padre de la nación de Israel.

CAPÍTULO 9

Génesis 23–25:

Isaac es el padre de Israel

Comenzamos la transición desde Abraham hasta Isaac en Génesis 23, con la muerte de Sara a los 127 años. Abraham muere en el capítulo 25 a la tierna edad de 175. Pero, entre esos capítulos, Abraham le hace jurar al jefe de los sirvientes de su casa que viajaría de vuelta a su tierra natal para conseguir una esposa para su hijo Isaac, en vez de elegir alguna de las odiosas cananeas, maldecidas por Dios desde los días del diluvio.

La tierra natal a la que se refiere Abraham no es Babilonia sino otra región en Mesopotamia, *Aram-naharaim* ("Aram de los dos ríos"), específicamente, la ciudad de Najor, en la misma región donde Taré y Abraham se asentaron al final del capítulo 11. Esta ciudad no es mencionada antes, pero parece que su nombre fue tomado del hermano de Abraham, Najor. Una de las formas claves para asegurarse de que el linaje familiar permanezca fiel a Yahvé es prohibir el casamiento con personas provenientes de las culturas paganas. Este tipo de unión es un gran "no" para los israelitas en varios puntos del Antiguo Testamento (por ejemplo, Esdras 9 lo prohíbe explícitamente, y los errores matrimoniales de Salomón en 1 Reyes 11: 1-13 llevaron a la división de la monarquía en el norte y el sur). Los matrimonios mixtos fomentan la infidelidad espiritual, ya que la devoción a una esposa no israelita podría llevar a abandonar a Yahvé y seguir a sus dioses.

De vuelta a la acción: Abraham hace que su sirviente jure que regresará a su tierra natal a buscar una esposa para su hijo. El hombre halla una esposa para Isaac bastante rápido. Su nombre es Rebeca, y la encuentra junto a un pozo. Resulta ser la nieta de Najor, el hermano de Abraham. El sirviente le cuenta al padre de Rebeca, Betuel, y al hermano de Rebeca, Labán, la razón por la que está allí. Básicamente, ellos le responden: "Bueno, no podemos discutir con Yahvé, así que, aquí tienes, llévate a Rebeca". El sirviente se la lleva a Isaac y ocurre un amor a primera vista.

Ahora, Abraham puede morir en paz al saber que su hijo se ha casado con el tipo correcto de mujer. Luego de la muerte de Abraham —y de una breve pausa para conocer el linaje de Ismael (Génesis 25: 12-18, la séptima sección de "estos son los descendientes" de Génesis)— nos movemos rápidamente a la octava sección: el relato del linaje familiar de Isaac (Génesis 25: 19).

Isaac canaliza a Abraham

He aquí algo loco: el relato de los descendientes del hijo de Abraham, Isaac (25: 19), no se trata en absoluto de este, sino de sus hijos, Jacob y Esaú. Aunque no es tan loco si tenemos en cuenta que la sección de "los descendientes de Taré", en 11: 27, es sobre su hijo, Abraham. Aquí, la mayoría de la atención recae en Jacob, a quién llegaremos en el próximo capítulo.

Los quince minutos de fama de Isaac sucedieron en el

Monte Moria, y aquí juega, por un momento, un rol secundario. La única excepción es Génesis 26, cuando Isaac y Rebeca salen de viaje a Gerar. Isaac es conducido a una tierra extranjera debido a una hambruna. Se dirige allí para encontrarse al rey filisteo, Abimelec, y conseguir algo de ayuda; pero, cuando llega, teme que los filisteos lo maten y capturen a su bella esposa. Así que le dice a Abimelec que Rebeca es su hermana.

¿Te suena familiar? En otro momento, Abraham hizo algo similar —dos veces, de hecho. La primera en el capítulo 12, en Egipto (entregando voluntariamente a su esposa al Faraón), y la segunda, tal como Isaac, en Gerar (estando dispuesto a entregar su esposa otra vez, en esta ocasión a otro Abimelec, quizás el padre o abuelo del Abimelec de Isaac). Isaac es una astilla del viejo tronco y la gente de Dios sigue teniendo estos incómodos encuentros con sus vecinos.

Esa es la única conexión que hace el escritor con Abraham. Mientras tanto, en Gerar, Dios le dice a Isaac que no siga los pasos de su padre en Egipto, sino que se quede quieto. Gerar está dentro de la futura frontera de Israel. Dios usa esta oportunidad para reiterar la promesa que le hizo originalmente a Abraham: que tendría tierra e hijos. Ahora que Abraham está muerto, la promesa es *transferida a su hijo*. No terminó con Abraham; Dios no acabó con su proyecto de crear un nuevo pueblo. La promesa todavía es válida para los descendientes de Abraham.

La tenacidad del carácter guardador de promesas de Dios llegará a un punto crítico en el libro de Éxodo. Dios libra a los israelitas de la servidumbre egipcia por una razón: cumplir lo prometido a Abraham (Éxodo 2: 24-25).

¿Filisteos? ¿Aquí?

La historia se refiere al rey de Gerar como un filisteo (26: 1). Según el registro arqueológico, los filisteos todavía no vivían en dicha región para esta época. No se las ingeniaron para ir de Grecia a Canaán sino hasta el 1200 a. e. c., aproximadamente. La referencia a los filisteos durante el tiempo de Abraham e Isaac es, en otras palabras, anacrónica. Poner a los filisteos en esta historia es como poner un soldado moderno en *Corazón valiente*; no encaja históricamente.

Nuevamente, vemos que las historias bíblicas reflejan las realidades de periodos posteriores. Para el tiempo en que fueron escritas en la forma en las que las conocemos hoy, los filisteos habían sido enemigos desde hacía mucho tiempo de Israel, y ocupantes de Canaán durante siglos. El escritor simplemente dio por hecho que los filisteos siempre habían estado allí, lo que tiene perfecto sentido para una cultura que no podía consultar una librería o hacer investigación por Google.

O, tal vez, los compiladores de la Biblia estaban al tanto de que los filisteos no habían estado allí durante el tiempo de

Abraham; tan solo los pusieron en Canaán para "contemporizar" la historia. Esto es (más remotamente) posible, pero el punto sigue siendo el mismo: ya sea intencional o no, las historias antiguas de Israel fueron escritas para audiencias posteriores. Así como lo mencionamos antes, este es otro de los momentos donde "hacemos que Jesús parezca un hombre pálido europeo del Renacimiento", un modo de conectar al Israel del exilio con su pasado antiguo.

El mismo principio también aplica para el lenguaje hebreo (si me permites este pequeño e interesante desvío). Las personas que se dedican a estudiar el idioma (sí, estas personas realmente existen) puede ver que el hebreo evolucionó. La Biblia hebrea es, en gran parte, del tiempo de los reyes de Israel, cerca del 800 a. e. c. en adelante. Así que, cuando Génesis cuenta historias (Adán y Eva incluidos), lo hace en un hebreo que no existía en el tiempo en que la historia sucede.

Una vez más, esto no quiere decir que las historias hayan sido inventadas posteriormente, pero sí que, conforme fueron transmitidas, continuamente se transformaron para reflejar los tiempos actuales, en términos tanto del lenguaje como del contenido en sí mismo. Génesis provee amplia evidencia de que este libro fue escrito mucho después de la ambientación de sus historias.

Desvío terminado. Esta historia sobre cómo Isaac entrega a su esposa es todo lo que vemos de este personaje en sus años adultos. Él juega un breve papel de apoyo mientras que el foco se dirige hacia Jacob, o, mejor dicho, a la relación tensa entre Jacob y su hermano mayor, Esaú.

CAPÍTULO 10

Génesis 25–35:

Jacob es Israel

(esta vez, literalmente)

Esta parte de Génesis comienza con el nacimiento de dos hijos: Isaac engendró a Esaú y Jacob. (Una nota al margen, que, espero, sea útil: en la Biblia, el hombre "engendra" niños y las mujeres los "llevan"). Desde su nacimiento, se nos dice que ambos están destinados a ser naciones: los descendientes de Jacob serán Israel y los de Esaú serán Edom, los vecinos problemáticos del sur.

No toma mucho esfuerzo saber que Jacob será el centro de la historia. Resulta que tanto él como su mamá, Rebeca, también son dos mentirosos. Es inútil tratar de encontrar excusas para justificarlos. Tampoco es que el padre y el abuelo de Jacob fueran grandes modelos de virtud, por ejemplo, mientras hacían pasar a sus esposas por hermanas para salvar sus propios cuellos. Leer estas historias a través de las virtudes morales de los personajes principales, como si uno estuviese leyendo una fábula, es una malinterpretación.

REINO DE
ARAM

MAR DE
GALILEA

REINO DE
ISRAEL
DEL NORTE

REINO DE
AMÓN

MAR
MEDITERRÁNEO

JERUSALÉN

REINO DE
JUDÁ
DEL SUR

MAR
MUERTO

REINO DE
MOAB

REINO DE
EDOM

EGIPTO

Rivalidad entre hermanos

Tal como sucederá con sus descendientes, Jacob y Esaú están en conflicto entre ellos. No es la primera vez en Génesis que los hermanos se llevan mal, y no será la última. La historia de Caín y Abel ya insinúa el conflicto sobre el que leeremos aquí.

A lo largo del Génesis y de todo el Antiguo Testamento, vemos el tema de Dios prefiriendo al hermano menor por sobre el mayor, permitiendo que el joven saltee al mayor y reciba su honor. Podemos verlo en la historia de Caín: cuando muere Abel, el otro hermano menor de Caín, Set, toma el lugar de importancia central. También cuando Dios escoge a Isaac por sobre Ismael. Y más adelante, en Génesis, en la historia de José, y en otros lugares en momentos cruciales en el Antiguo Testamento. Moisés fue el libertador escogido, y era menor que su hermano Aarón. David fue coronado rey de Israel, y era el menor de sus ocho hermanos. David fue sucedido por Salomón, aunque Adonías era mayor. Y vemos este mismo tema en la historia de Jacob y Esaú.

Jacob y Esaú son mellizos que parecen destinados a estar en conflicto desde el parto: Jacob, el segundo en ver la luz, nace aferrado del talón de Esaú. Conforme crecen, Jacob es descrito como una persona hogareña y pacífica, mientras que Esaú es un cazador no muy brillante (*Esaú* en hebreo significa *peludo*). Cierto día, luego de cazar, Esaú llega a casa famélico y le pide a Jacob un poco del estofado rojo que se está cocinando. En lugar de limitarse a ser un hermano amable, o simplemente pedirle que no lo moleste, Jacob utiliza la petición como una oportunidad para aprovecharse del hambre de su hermano mayor: le revela su deseo de ser el líder de la familia. Para esto, llega a un acuerdo con Esaú: le ofrece "un poco de comida a cambio del derecho de hijo primogénito"; es decir, los derechos de Esaú por haber nacido primero. El mayor acepta, quizás pensando que el acuerdo no significa nada o que se puede salir con la suya —o, quizás, simplemente es un estúpido.

Parece que nadie se molesta en decirle a Isaac del pequeño trueque del estofado. ¿Por qué molestar al viejo, no? Esto prepara el terreno para otra confrontación al final de la vida de Isaac, cuando Jacob y Esaú son un poco más grandes. A estas alturas, Isaac está prácticamente ciego y, aparentemente, senil. Entonces llama a Esaú para darle la bendición del primogénito antes de morir. Pero primero le pide que cace algún animal silvestre y le prepare una rica comida. En lugar de contestar "Si... ajam... papá, te quería hablar sobre eso... creo que le vendí mi primogenitura a Jacob hace un tiempo atrás por un almuerzo", sale, quizás a la espera de poder escabullirse en la bendición sin que Jacob se entere. Así es, Esaú tiene toda la intención de romper la *promesa* que *juró* a Jacob.

Rebeca, de casualidad, escucha esto y piensa rápido. En lugar de pisar el freno y convocar una reunión familiar, le dice a Jacob lo que el canalla de su hermano pretende. Entonces idean un plan que no involucra confesar ni decir la verdad (claro, ¿por qué hacer eso?). En cambio, Jacob se viste como Esaú y se cubre brazos y cuello con cuero de cabrito (*Oh, Esaú, ¡qué brazos más peludos tienes!*). Luego, Rebeca prepara una comida justo como a Isaac le gusta. Y la treta funciona. Van a la presencia de Isaac y él pregunta: "¿Quién es?". Jacob contesta (en la mejor imitación que tenía de su hermano): "Soy Esaú, tu primogénito". Momento. Isaac está un poco escéptico al principio. ¿Por qué Esaú suena como Jacob? Pero, tan pronto como huele la ropa, las dudas desaparecen.

Jacob le miente a su padre para asegurarse la bendición del primogénito, el derecho de nacimiento que obtuvo por haber manipulado a su hermano mayor. Suena como un trabajo para un terapeuta familiar con agenda disponible. ¿Ya mencionamos que Jacob es el progenitor inmediato a la nación de Israel?

Como en una de esas películas hechas para TV, Esaú vuelve justo después de la pequeña treta, sin sospechar nada. Cuando se entera, se enfurece por no obtener su bendición. E Isaac está furioso por haber sido engañado. Sin embargo, aparentemente, las reglas de "engaña a tu padre para que te dé la bendición" son claras: la bendición no puede ser deshecha. La única "bendición" que le queda a Isaac para Esaú no es tal: vivirá por la espada y servirá a su hermano menor, aunque, en determinado momento, podrá "sacudirse su yugo" (Génesis 27: 39-40).

Eso es lo mejor que le puede dar Isaac a su primogénito. Suena más como una maldición. Pero, para nosotros, es más importante ver que aquí hay otro avance de lo que ha de venir. Estas idas y vueltas entre los dos hermanos en realidad son una descripción de los problemas entre dos naciones. Edom e Israel tienen una relación tensa, aunque mucho de ello está regido por la subyugación de Edom a Israel. Pero, durante el reinado de Joram en Judá, "Edom se rebeló contra el poder de Judá y se estableció un rey propio" (2 Reyes 8: 20). La supuesta bendición presagia una realidad política posterior, como ya hemos visto por todos lados.

Volvamos a la historia en sí misma. Jacob engaña a su padre y a su hermano, aunque el derecho de primogenitura técnicamente era suyo (a causa del guisado rojo). Como sea; Esaú se siente engañado y deja en claro que su pequeño hermano debería darse por muerto una vez que Isaac muera. Así que, para proteger al muchacho, Rebeca le miente de nuevo a Isaac (o, al menos, le cuenta una verdad a medias), diciendo que quiere que Jacob vaya a

Harán, donde vive su hermano Labán, para encontrar esposa —en vez de tener que escoger una de esas mujeres hititas que andan por ahí. Isaac convoca a Jacob (sin mencionar todo el asunto de "soy Esaú") y le dice que vaya; Jacob reboza de felicidad por escapar de la venganza de su hermano. Mientras se esconde lejos y trata de conseguir esposa, Esaú vuelve a casa y prepara una fiesta de rebeldía y autocompasión. Se casa, de todas las personas que había, con una cananea y, así, desobedece directamente a su padre. ¿Podemos culparlo, realmente?

Así comienza el viaje de Jacob. Escapa volando de la ira de su velludo y atemorizante hermano y se refugia en lo de su tío Labán. En el camino, se detiene en un lugar que pronto tendrá el nombre de Betel, que está compuesto de dos palabras hebreas (*Bet* y *el*), y que significa "Casa de Dios". ¿Cómo obtuvo ese nombre? Es el motivo para el que está diseñada esta historia. Con una piedra por almohada, Jacob se queda dormido y tiene un sueño de una escalera al cielo por la que suben y bajan ángeles —una especie de portal entre el cielo y la tierra. Ahí, en la cima, está Yahvé. Quizás podríamos esperar un sermón de Dios a Jacob por ser un pequeño mentiroso. Pero, en su lugar, Yahvé reitera la promesa a Abraham: la descendencia de Jacob será incontable y de bendición para todos los pueblos de la tierra.

Los académicos bíblicos entienden que la historia de la escalera al cielo sirve a dos propósitos. Uno es enfatizar que Dios ha escogido a Jacob, a pesar de las mentiras y el engaño, para que sea el padre de las doce tribus de Israel. Dada la posterior historia (por lejos *no estelar* de Israel), un ancestro como Jacob *que a pesar de sus deficiencias cuenta con la aprobación de Dios* habrá sido de lo más tranquilizador. Jacob, como cada uno de sus antepasados, es un héroe con fallas, imperfecto. Hacer desastres está enraizado profundamente en los genes de Israel; que Dios los cargue durante todo el camino a pesar eso, es aún más profundo. Un segundo propósito de la historia es explicar cómo esta ciudad prominente vino a llamarse *"Casa de Dios"*, cuando su nombre anterior era Luz (en adición a Génesis 29: 18, ver también Jueces 1: 23).

Jacob tiene problemas maritales, y se lo merece

Jacob continua su viaje y se encuentra con Raquel, su futura esposa, junto a un pozo. Ella es la menor de las dos hijas de Labán. Se enamora apasionadamente y Labán promete dejar que se case con ella, a cambio de siete años de trabajo. ¿Qué puede significar trabajar duro durante siete años en comparación con casarse con tu primo? Jacob acepta gustoso, y el tiempo vuela. En su noche de bodas, su novia es llevada a la tienda para las cosas usuales de la noche de bodas. Pero, en la mañana, no es recibido por Raquel, sino por su hermana mayor (y menos atractiva), Lea.

Tal vez, Jacob tomó mucho vino en la boda —o, tal vez, a modo de justicia poética, heredó la ceguera de su padre, Isaac; el engañador terminó engañado. Debería haber sabido que Labán no planeaba nada bueno. No era costumbre casar a la hija menor sin deshacerse primero de la mayor. Pero no lo vio venir y ahora está adherido a Lea. En cualquiera de los casos, Jacob recibe una dosis de su propia medicina. Anteriormente, él había utilizado la urgencia cuando manipuló a Esaú para sacarle sus derechos de primogénito. Ahora, conducido por sus propias urgencias, es engañado para darle a una hermana mayor lo que merece. Como una devolución por lo que le hizo a Esaú. Pero, al menos, Labán le ofrece otro trato: trabajar otros siete años y obtener también a

Raquel. Y lo hace.

Pronto, la historia se centra en otra rivalidad entre hermanas: ¿cuál puede tener más hijos de Jacob? Lea es bastante fértil, mientras que Raquel es estéril (como Sara). Así que Jacob engendra siete hijos de Lea (seis niños y una niña). Raquel siente celos de todos los bebés que tiene su hermana y le da a Jacob a su esclava Bilhá para tener hijos a través de ella (como Sara y Agar). Y la esclava le da dos niños.

A esta altura, el "pozo proverbial" de Lea parece secarse, así que entrega a Jacob a su esclava Zilpá, y nacen dos niños más. Finalmente, Raquel tiene un niño propio: José, que se convertirá en una figura central dentro de algunos capítulos. Luego, ella muere al dar a luz a su segundo hijo —y otra figura importante—, Benjamín.

Qué enredo. Desde el principio, la historia de Jacob, con todos sus personajes sombríos, es como un *reality show*. Y, al final de todo esto, tenemos doce hijos. La nación de Israel nace de una familia disfuncional, que estará con ellos a lo largo de su existencia.

Más engaños

De momento, Jacob ha pasado tiempo suficiente con su turbio suegro/tío, y decide irse. Pero Labán, que ya ha experimentado los frutos de la promesa, le dice: "No puedes irte. Sé que estoy siendo bendecido por ti". Parece que Dios está cumpliendo su promesa de que la descendencia de Abraham traerá bendición para las naciones (Génesis 12: 1-3). Así que Jacob accede a quedarse y cuidar el rebaño de Labán con una condición:

debe permitirle quedarse con los animales negros, moteados y manchados. Y, con una buena carga de ironía, Jacob le dice: "Tú sabes que puedes confiar en mí. Soy un hombre honesto". Buen chiste, Jacob.

Ahora es Labán quien cae en el truco, que parece involucrar algún tipo de ritual mágico de apareamiento. Jacob toma unas "ramas verdes de álamo, almendro y plátano", y les quita la corteza para crear unas franjas. Este episodio alude a una vieja teoría que dice que cuando los animales miran ramas rayadas y se aparean, producen bebés rayados y manchados. Los eruditos bíblicos suelen catalogarlo dentro del folclore (como el cuento de la muchacha que puede hilar tan bien que convierte en oro la paja). De todos modos, el punto es que se beneficia, una vez más, de sus engaños. Cuando los hijos de Labán empiezan a sospechar y su padre se altera un poco, Jacob hace lo que mejor le sale: evita el conflicto y huye a Betel, que es donde Dios le dijo que fuera cuando tuvo el sueño de "la escalera al cielo" (capitulo 2-8).

Como si fuera tan fácil. Labán lo persigue, aunque no por la razón que podríamos sospechar. Sí, se siente engañado por Jacob (¿hay alguien que no se sienta así a esta altura?), pero la principal queja es que los ídolos de su casa desaparecieron. Aparentemente, esto es un problema lo suficientemente grande como para motivar una persecución de unos cuantos kilómetros desde Padán Aram a Galaad. Labán alcanza a Jacob y su familia y los confronta por el tema de los dioses. Jacob, que no sabe que Raquel los había tomado, le dice que, quien sea que tenga los dioses en su campamento, "no vivirá".

Necesitamos hacer una pausa y preguntarnos: ¿Qué rayos hace Labán con ídolos caseros, y por qué la esposa de Jacob, entre todos los que había allí, los quiere con ella? ¿Abraham e Isaac no habían sido cuidadosos en conseguir esposas fieles a Yahvé para los miembros de su familia? Estas personas están muy próximas al padre de las doce tribus, ¡y todavía incursionan en la adoración a otros dioses! Es verdad que las prohibiciones en contra de ídolos y tales cosas no son dadas sino hasta el Monte Sinaí (en el libro de Éxodo). Podemos excusar su comportamiento por ignorancia. Pero, si Israel está moldeando su historia, como hemos visto, ¿por qué no dejar de lado —o, al menos, maquillar— el engaño, la incredulidad y la idolatría? (el autor de 1 y 2 Crónicas no tiene ningún problema al hacerlo, por ejemplo, cuando deja fuera el pecado de David con Betsabé en su relato de la historia de Israel).

La respuesta, una vez más, es que los relatos de Génesis reflejan la historia posterior de Israel. Los israelitas, desde principio a fin, no son modelos de virtud o fidelidad a Dios. Y aun así, ¿cómo reacciona Dios a todo esto? No pasa por alto estas fechorías, como si fuera un padre despistado que les permite a los niños correr desenfrenados por todo el restaurante. Más bien, disciplina a las personas y luego sigue adelante con el plan, incluso con un elenco de personajes menos que estelar. Dios ve más allá de las deficiencias de su pueblo para ejecutar el plan de regresar el orden al mundo caótico.

Dios siempre estará a la altura del acuerdo que hizo con Abraham —incluso con un pueblo en el exilio. Y, hablando de ir más allá de las deficiencias: Jacob, el padre de la nación de Israel, se unió a una familia en la que hay "ídolos caseros". Mezclarse con ídolos extranjeros es un problema constante para Israel más adelante, y la razón principal por la cual termina siendo la invitada de los babilonios durante cincuenta años más o menos. La lucha ya se vislumbra en la historia de Jacob.

La fidelidad inconmovible de Dios es resumida en la

palabra *chesed* (*CHEH-sed*), que también puede ser interpretada como "amor" —no un apego emocional intenso y fugaz, sino más bien el compromiso de sesenta años y matrimonio de Allie y Noah en *Diario de una pasión*. Significa que Dios está comprometido; se pegará a su pueblo sin importar lo que pase. De nuevo, esto no es condonar el comportamiento de Israel, sino llevar la atención al carácter de Dios: "Este es el tipo de Dios que adoramos, un Dios que tiene compasión y es fiel". Incluso, se podría decir que parte de la razón por la que se cuenta la historia de Israel de esta manera es para desviar la atención hacia Dios. Que esta historia tuviera éxito, dado el registro de la trayectoria de sus personajes, era poco probable (para ser amables).

Regresamos a Raquel, que robó los ídolos de su padre. Es una embaucadora, una astilla del viejo tronco, así como su marido. Mientras Labán busca sus dioses en la tienda de Lea, Raquel toma los dioses, los esconde en la montura del camello y se sienta encima. Cuando su padre se acerca, ella dice, cortésmente: "Me encantaría bajarme y darte un gran abrazo, papá… pero, desafortunadamente, estoy en ese momento del mes". Se evitó la crisis, y Jacob y Labán acuerdan estar en paz, siempre que Jacob prometa nunca maltratar a sus hijas o tomar otras esposas. Con esto, la relación de veinte años de estos dos hombres llega a su fin.

Jacob llegó a Harán como un soltero; se fue rico y siendo el padre de las doce tribus de Israel. Parece que la fortuna del pueblo está mejorando. De hecho, un nuevo patriarca ha nacido.

Un combate y una reunión familiar

La reunión inevitable entre Jacob y Esaú está cerca. El capítulo 32 abre con Jacob dirigiéndose al territorio de Esaú. Un mensajero le avisa que su hermano está en camino, lo que suscita la obvia y nerviosa pregunta *¿Esto será una reunión o una batalla?* "*Ah* —agrega el mensajero—, ¿mencioné que trae cuatrocientos hombres con él?". Si Jacob estaba esperando abrazos y besos, hay cuatrocientos hombres que sugieren lo contrario. ¿Jacob, el escurridizo hijo de mamá, contra el poderoso y peludo cazador y cuatrocientos más? La situación no luce muy bien. Así que, Jacob —frénanos si ya escuchaste esto— intenta manipular la situación a su favor: ora para que Dios lo salve y luego envía regalos para apaciguar a Esaú.

Esa noche, mientras los regalos están en camino, Jacob se encuentra con lo que, seguramente, es uno de los episodios más extraños y aparentemente aleatorios en Génesis. Tiene una pelea que dura toda la noche con "un hombre", o al menos eso es lo que se nos dice al principio. Aparentemente, Jacob es todo un macho con buen físico, y el "hombre", al ver que no es capaz de someterlo, lo incapacita con un golpe en la articulación del fémur, y le dice: "Déjame ir; porque ya está amaneciendo".

¿Es un vampiro o solo está cansado? Este episodio es un rompecabezas. Un hombre ataca a Jacob por la noche, no puede dominarlo, y, aun así, es capaz de lastimar la unión de la cadera de Jacob de un solo golpe. ¿Qué está pasando? Pero Jacob parece saber que esta no es una pelea normal. Le dice al hombre que no lo dejará ir, a menos que lo bendiga. El otro accede y lo bendice, cambiando su nombre a "Israel", que significa "El que lucha con Dios".

El nombre del pueblo de Dios es una ventana a las cosas que vendrán. En su mismísimo nombre, los israelitas hacen claro y público que se ven a sí mismos como un pueblo que lucha con Dios. Esa disputa tomará muchas dimensiones, por ejemplo: la lucha de Job contra la justicia de Dios; la lucha de Qoheleth contra la falta de fiabilidad de Dios (Eclesiastés); los muchos salmistas que se preguntan en voz alta *¿Dónde está Dios cuando lo necesitas?* Este no es un pueblo que se ve a sí mismo como triunfante, arriba en la cadena alimenticia, sino como un pueblo errante que se pregunta —para usar la jerga de nuestros días—, que lucha con su fe.

Este "hombre" se vuelve menos humano cuando Jacob se da cuenta de que su lucha no ha sido con el pastor peleador del vecindario, sino con un ser divino. Jacob renombra este lugar Peniel ("Cara de Dios") y, como un recordatorio perpetuo de este encuentro divino, camina de aquí en más con una cojera, que el autor de Génesis luego describe como la razón por la cual "hasta este día, los israelitas no comen el tendón unido a la cavidad de la cadera".

Al igual que sus padres de antaño, los israelitas se definen por su lucha con Dios. Y, como Jacob, tienen la intención de aferrarse a él para ser bendecidos. Israel está determinado a luchar tanto como sea necesario. Incluso el exilio, sin importar cuan desalentador sea, no serán disuadidos.

Sea lo que sea que, además, signifique esta historia, en el flujo de la narrativa es usada para preparar a Jacob para su encuentro inevitable con Esaú. En la pelea, creció, y ahora actúa como un hombre. Antes de su encuentro con Dios, era un cobarde que enviaba regalos para apaciguar a su hermano enojado. Ahora, se mueve valientemente desde el fondo hacia el frente de su séquito y va a encontrárselo cara a cara. Y, cuando llega allí, se arrodilla ante Esaú siete veces, una señal de total sumisión que conocemos a través de otras culturas antiguas. Aún hoy podemos entender la situación. Imagínate que ofendiste a alguien y te encuentras a esa persona en un supermercado, en la calle, la iglesia, o donde sea; en un acto público, te arrodillas hasta el suelo siete veces. Absoluta humillación autoimpuesta. ¿Y qué hace Esaú en respuesta a este gesto? En vez de apuñalarlo por la espalda, le da a Jacob un genuino abrazo de hombres. Los hermanos son reunidos e Israel es un nuevo hombre.

Luego de su encuentro, Jacob prácticamente le ruega a Esaú que acepte el "regalo" de ganado que le trajo. Aquí, la palabra hebrea para "regalo" es la misma usada antes para la "bendición" robada por Jacob al principio de la historia. Así que, para atar los cabos sueltos, en un gesto simbólico, Jacob le devuelve a su hermano la bendición que le correspondía. Es decir, de la bendición que recibió de Dios, le regresa bendición a su hermano. Y nota que Esaú no reacciona con aceptación inmediata, sino por la insistencia de Jacob.

Estos dos hermanos han recorrido un largo camino. Lo mismo por lo que se pelearon y que causó tanta disensión familiar es ahora algo que quieren que el otro tenga de manera desesperada. Quizás, Israel está empezando a comportarse como debería. Empieza a brotar la semilla de la promesa a Abraham. Dios ha bendecido a Israel y, a través de ellos, otros están siendo bendecidos.

Ahora, como un hombre independiente y rico, sin nada que temer de parte de su hermano, Israel va a establecerse cerca de la ciudad de Siquem, que está en Canaán. Abraham también había pasado por allí (12: 6). Israel compra una parcela de tierra, cava un pozo (una forma de reclamar la tierra), y construye un altar que nombra *El Elohé Israel* [*ale eh-lo-HEY yis-rah-ALE*], que significa algo así como "Todopoderoso es el Dios de Israel". Israel comienza a apoderarse de Canaán, la tierra prometida.

Como veremos a través de la historia, los cananeos les dieron la bienvenida al vecindario.

Al final de su vida, Israel se va de Siquem y regresa a Padán Aram, donde su nombre había sido cambiado. Todo está bien. Se repite el mandamiento de ser "fructífero y multiplicarse", como la promesa de que Canaán será su hogar por siempre: la doble promesa de tierra y gente permanece. La historia termina con una lista de los doce hijos de Israel y un relato de las muertes de Raquel y, luego, de Isaac. Y la última oración concluye con una nota de reconciliación esperanzadora: Isaac es enterrado por sus dos hijos, Israel y Esaú (35: 29). Ahora, estamos listos para pasar a la última fase de la historia de Génesis.

CAPÍTULO 11

Génesis 36–50:
Israel es salvado

Hemos recorrido un largo trecho de Génesis —Adán, Set, Noé, Abraham, Isaac, y Jacob. Este es el linaje principal de descendencia que traza el escritor. Pero, en el camino, también conocimos a los desplazados hijos mayores: Caín, Ismael y Esaú. El escritor no quiere que los olvidemos. Incluso utiliza una de sus secciones de "estos son los descendientes de" para asegurarse de que tengamos presente a Ismael (25: 12-18), un recordatorio de siete versículos antes de pasar a la historia de Jacob y Esaú. Génesis 36, es similar: la novena sección de "estos son los descendientes de" y todo un capítulo dedicado al linaje de Esaú antes de proseguir hacia el siguiente episodio.

A lo largo de Génesis, hemos visto cómo estas historias fueron escritas a la luz de experiencias posteriores de Israel — tan posteriores como el exilio a Babilonia y el regreso. Como mencionamos antes, en el primer capítulo de este libro, la lista de reyes edomitas de Génesis 36: 31-40 es otro ejemplo. Es introducida en el versículo 31: "Los reyes que reinaron en el país de Edom antes que ningún rey reinara sobre los israelitas son los siguientes". Esta declaración no tiene sentido, a menos que el escritor viviera en un tiempo donde los reyes de Israel gobernaban o ya habían gobernado en algún momento del pasado. Esto no habría sido antes del 1000 a. e. c., aproximadamente, sino más tarde, en tiempos del exilio.

Génesis mira hacia atrás, a través de los siglos, para hablar de los días de antaño. Quizás estamos haciendo leña del árbol caído, pero subirse a bordo de esta idea es central para leer Génesis con ojos antiguos; esto es, a través de los ojos de los que escribieron la historia como la conocemos hoy.

Génesis 37 nos trae a la décima y última sección de "estos son los descendientes de". Es dedicada al linaje de Jacob a través de su hijo favorito, José, primogénito de su esposa Raquel. (Ver Génesis 37: 2. Desafortunadamente, en algunas versiones lo han expresado como "esta es la historia de la familia de Jacob". ¡Pero es la misma frase que encontramos en las secciones divisoras!). José encarnará un rol vital en la supervivencia de su pueblo. Y quizás lo consideremos uno de los relatos más conocidos de la Biblia, inspirador de libros para colorear, musicales de Broadway y cosas por el estilo (¿alguien vio a Donnie Osmond en *Joseph and the Amazing Technicolor Dreamcoat?*)[1] pero en realidad se trata de lo que sucede con el linaje de Jacob (ahora llamado Israel). Génesis es la historia de los comienzos de Israel.

---

1 Una adaptación del exitoso musical de Andrew Lloyd-Webber acerca de la historia de José. (N. del T.)

Un hermano menor molesto aterriza sobre sus pies

José, como la mayoría de los personajes que hemos encontrado hasta ahora, comienza con algunas fallas bastante serias pero, aun así, resulta una figura clave en el plan de Dios. Al principio, es el niñito mimado de papá. Tenía una bella túnica, regalo de Israel, que usaba para alardear de su estatus como favorito. Este joven de diecisiete años incluso criticaba a sus hermanos.

Suponemos que, en Génesis, todo el asunto de la rivalidad entre hermanos ya aturde tus oídos —Caín y Abel, Jacob y Esaú, ahora José y sus hermanos. ¿Qué les pasa? La historia nacional de Israel será un gran evento de enfrentamiento fraterno. Con el tiempo, los doce hermanos se convertirán en las doce tribus de Israel, y ellas —imagínense— no se llevarán bien. Para nada. El reino de Israel, unificado bajo David y Salomón, rápidamente se dividirá en dos, diez tribus al norte y las dos restantes (Judá y Benjamín) al sur. *La rivalidad entre hermanos es una guerra civil en miniatura.*

Entonces, los hermanos de José lo odian —no solo por su ropa a la moda, sino porque se las refriega en la cara. José tiene dos sueños con el mismo mensaje: un día, él reinará sobre sus hermanos. Soñar es una cosa, pero José se asegura de que sus hermanos se enteren. ¿Crees que les darán una calurosa bienvenida a estas noticias? Claramente, no. Son diez hermanos en contra de un adolescente presumido y maleducado.

Cierta vez, lo ven venir a la distancia y dicen: "Ahí viene el soñador... vamos a matarlo". Pero, luego de algo de debate, prevalecen las ideas de los de cabeza más fría, y solo le quitan la túnica y lo echan a una cisterna. Cuando pasa una caravana de comerciantes ismaelitas (árabes) camino a Egipto, los hermanos venden a José. Obtienen algo de dinero fácil y se deshacen del problema. Todos ganan. Para cubrir su crimen, sumergen la codiciada túnica en sangre de cabra y luego le dicen a su padre que su hijo favorito ha sido destrozado por animales salvajes. Aquí vamos de nuevo —otro incidente entre hermanos que involucra sangre (piensa en Abel) y engaño (piensa en Jacob). Y, de nuevo, Jacob, el gran engañador, obtiene otra dosis de su propia medicina: cae en la trampa.

Jacob está devastado. Su hijo favorito de su esposa favorita está muerto. No sabe que José está de camino a Egipto para ser vendido como un esclavo a Potifar, uno de los oficiales de más alto rango del faraón. Rápidamente, José se convierte en un hombre de confianza de la corte de su amo. Es puesto a cargo de la casa y vemos, de nuevo, la promesa de Abraham en funcionamiento: Dios bendice a Potifar porque Potifar "bendice" a José (39: 5). Potifar confía plenamente en José.

Lo malo es que José es un verdadero semental y la esposa de Potifar siente algo por él. Un día, mientras están solos en la casa, ella trata de seducirlo, pero José se rehúsa. Desafortunadamente, ella lo aferra de la túnica y, cuando José trata de salir de ahí, se va desnudo. Esta es la segunda vez que pierde su ropa (recuerda la túnica multicolor) con resultados trágicos. Inmediatamente, la mujer despreciada y culpable, les miente a los sirvientes de la casa y a Potifar y les dice que fue José quien intentó seducirla (otro engaño). ¿A quién le creerá Potifar? Entonces, pone a José en la cárcel, así como sus hermanos lo echaron a un pozo. A este chico no le sucede ni una sola cosa buena.

¿O sí? Hemos aprendido que José codificaba sueños. Por

esos días, la habilidad de interpretar sueños era un arte valioso. Y así, sucede que mientras José está en prisión, el copero y el panadero del faraón, que estaban en la cárcel, tienen un sueño que no pueden entender. José interpreta el del copero: será liberado de la prisión y restaurado a la corte del faraón. Luego, interpreta el del panadero, que es menos prometedor: se le cortará la cabeza y será comida para los pájaros.

Ambos sueños se vuelven realidad y José le pide al copero que hable bien de él ante el faraón. Y, en sintonía con la mala suerte de José, el copero se olvida, hasta que el propio faraón comienza a tener algunos sueños que necesitan interpretación.

El sueño de José se vuelve realidad

Dado que vivimos en un mundo en el que existen *Sé Lo que Hiciste El Verano Pasado*, *The Walking Dead* y *El Juego del Miedo*, podríamos no asustarnos tanto por los sueños de las vacas flacas que comen vacas gordas o —si se lo pueden imaginar— tallos flacos de trigo que comen tallos gordos. Pero, para el faraón, estos sueños son perturbadores. Sus propios magos no pueden decirle qué significan (y ese es su trabajo). Así que el copero dice: "Un momento... Yo recuerdo... Estaba en prisión con este hebreo que es bastante bueno interpretando sueños". El faraón manda llamar a José. "Escuché que puedes interpretar sueños", le dice. "Bueno, en realidad —contesta José— Dios interpreta los sueños. Yo solo soy el mensajero". (José aprendió algo de humildad mientras observaba los muros de su celda).

El faraón le transmite sus sueños (pesadillas) acerca de vacas flacas y tallos flacos de trigo que se comen a unas vacas gordas y tallos gordos de trigo, y José, inmediatamente, sabe lo que significan: Egipto tendrá siete años de abundancia (vacas gordas/tallos gordos de trigo) seguidos de siete años de hambruna (vacas flacas/tallos flacos de trigo), y la hambruna será mucho peor que los años abundantes. Así que el faraón hace el intento y le pregunta qué piensa que deberían hacer al respecto. José dice que deben guardar comida durante los siete años de abundancia para tener raciones suficientes durante los siete años de hambruna. Buena respuesta, José.

Así que un prisionero hebreo salva a Egipto de la destrucción. Varias generaciones después, estos mismos egipcios se volverían en contra de los hebreos y los esclavizarían. Egipcios, qué malos modales. Pero esa es la historia de otro libro (Éxodo).

Mientras José es ascendido de esclavo a mano derecha del faraón y puesto a cargo de los preparativos para la hambruna, Jacob y su familia en crecimiento todavía están en la tierra de Canaán. La hambruna llega, y Jacob empieza a ver el oscuro panorama. Manda a sus hijos restantes (exceptuando a Benjamín, su hijo más pequeño y el otro único hijo de su esposa favorita, Raquel) a Egipto para ver si pueden comprar algo de granos al Faraón.

Y, por favor, dinos si ya has visto antes esta idea de "ir a Egipto por la hambruna". Este episodio, que prepara el final del Génesis y conduce a la esclavitud de Israel en Egipto, refleja el viaje de Abraham a aquella nación en Génesis 12. Y así como en esa historia previa donde Sara es una "invitada" en la casa del faraón, los hermanos de José pronto se encontrarán en la propia situación incómoda de estar en la casa del gobernante egipcio. La misma escena se presenta de nuevo en el libro de Éxodo —que es hacia donde va todo esto—, cuando los israelitas son esclavizados.

Los hermanos de José van a Egipto e, increíblemente, deben reunirse con José, que ahora es el encargado de racionar la comida. Él los reconoce de inmediato, pero ellos no. En su lugar, se arrodillan ante él, cumpliendo el sueño que tuvo de muchacho. La historia podría haber tenido un final rápido, pero el escritor tiene más por contar. La venganza no es el punto. Hay una lección más profunda que los lectores deben aprender.

Dios Libera Israel

Los hermanos están completamente vulnerables, pero, en vez de revelar su identidad, José ensaya un truco con ellos. Los acusa de ser espías. Y ofrece un trato: "Muéstrenme que son hombres honestos, volviendo y trayéndome a ese hermano menor que dicen que tienen". No están para nada emocionados con el trato; saben que Jacob no quiere arriesgar al más pequeño. Está un poco temeroso de perder a su hijo favorito restante luego de haber perdido a José. Pero, no teniendo otra alternativa, dejan a otro hermano, Simeón, como garantía. Es apresado con cadenas y los demás vuelven a Canaán con un difícil mensaje para entregar.

Los hermanos se merecen cada parte de esto. Deben dar nuevas malas noticias a su padre sobre otro de los hijos de Raquel. Solo que, esta vez, es la verdad. Deben haber reflexionado sobre este golpe de justicia poética en el largo viaje a casa.

Ante la propuesta, Jacob se niega; no podemos culparlo. José está perdido y parece que Simeón también. No perderá otro hijo. La cuestión es que, a pesar de esto, la hambruna no disminuye, y pronto se les acabarán los granos que compraron en el primer viaje. Jacob está maniatado. Antes de perder a toda su familia por la hambruna, cede por desesperación y envía a los hijos de regreso con muchos regalos y la esperanza de asegurarse de que su Benjamín volverá. Ellos se quedan durante un tiempo en Egipto y son tratados muy bien. Y a Benjamín, lejos de estar en peligro, se le da cinco veces más para comer y beber que a cualquier otro.

Pero es todo una farsa. José no los va a dejar ir tan fácilmente. Los hermanos se van, muy aliviados, con todo el grano que pueden transportar. Lo que no saben es que el engañador José ha puesto su copa de plata en la bolsa de Benjamín y está a punto de acusarlos de robarla. Los hombres de José cabalgan detrás de ellos, los alcanzan, e inmediatamente los arrestan por robar la copa —una escena que hace eco con la ocasión en que José y Raquel escaparon de Labán; una versión ligeramente revisada del incidente del ídolo robado. Los hermanos alegan inocencia, pero se les advierte que, quien tenga la copa, será convertido en esclavo. José recrea su propia historia con el otro hijo favorito, mientras sus hermanos observan impotentes. Cuando la copa es encontrada, todos le imploran misericordia a José. Regresar sin Benjamín podría matar, literalmente, a su anciano padre.

Afortunadamente para sus hermanos, José siente que los ha castigado lo suficiente. Su corazón está rompiéndose por dentro, y les revela su identidad. Ellos no pueden creer lo que están viendo y, en una declaración no solo de perdón sino de madurez espiritual, les dice a sus hermanos que ese era el plan de Dios durante todo el tiempo:

~~~~~~

Por eso Dios hizo que yo los precediera para dejarles un resto en la tierra y salvarles la vida, librándolos de una manera extraordinaria. Ha sido Dios, y no ustedes, el que me envió aquí y me constituyó padre del Faraón, señor de todo su palacio y gobernador de Egipto (45: 7-8).

~~~~~~

Modifica algunas palabras y los israelitas podrían estar diciendo exactamente lo mismo luego del Éxodo, y especialmente luego de que regresan del exilio babilónico —"Dios nos preservó, como un remanente, y nos libró del peligro". Si buscan la palabra "remanente" en el libro de Esdras, Isaías y Jeremías, verán cuán estrechamente ligada está con la idea del regreso israelita del exilio. Con gran alegría, José manda a sus hermanos de vuelta y el faraón mismo invita a toda la familia de José para que se le una en Egipto. Incluso les da terrenos en Gosén, la mejor tierra, en las afueras de la nación.

Los hermanos vuelven a Canaán y le dan las noticias a Jacob. Está estupefacto y lleno de alegría. Todo el pueblo de Israel emigra a Egipto, y aquí es donde se quedan, conforme terminamos la historia de Génesis. Y no les va nada mal. Prosperan, y lo que es más importante, ellos "tuvieron muchos hijos y llegaron a ser muy numerosos" (Génesis 47: 27). Después de todo lo que vimos de estos israelitas —un paso en falso tras otro— Dios todavía está con ellos, bendiciéndolos y aumentando su número, acorde al mandamiento antiguo de la creación (Génesis 1: 28).

Mientras llegamos al final de Génesis, vemos a Jacob haciéndose muy viejo y cerca a morir. Y en su último acto como patriarca, bendice a cada uno de sus hijos y nietos, empezando con los dos hijos de José, Efraín y Manasés (Génesis 48). Aunque insiste en bendecir a Efraín, el menor, más que a Manasés, el mayor. Nuevamente: la preferencia por el hermano más pequeño por sobre el mayor. Esta escena es más que un adiós extendido. Es un vistazo del futuro de Israel: Efraín será uno de los nombres del poderoso reino de Israel del norte (después de que la monarquía se divida en norte y sur, luego del reinado de Salomón).

En Génesis 49: 8-12, Jacob bendice a su hijo Judá sobre todos sus hermanos. Judá será el nombre del reino del sur. Recibe un lugar especial en la bendición de Jacob, porque todas las esperanzas de Israel se depositarán en un rey de Judá. El nombre de ese rey es David. Las bendiciones dadas a Efraín y Judá en Génesis señalan la prominencia política de estas tribus en el futuro de Israel.

El libro termina con la muerte de Jacob y, luego, de José. Con esto, la infancia de Israel llega a un final, y un periodo difícil de crecimiento está por comenzar. La transición de ser pueblo a ser nación no será particularmente fácil —terminará con Israel lamiéndose las heridas de la cautividad babilónica. Y, como hemos visto, esa historia más amplia ya está en vista a lo largo de Génesis. La historia antigua de Israel se trata de lucha con Dios y con otros. También es sobre la fe en que Dios estará con ellos sin importar qué suceda. Génesis es la historia de Israel que muestra que se puede confiar en Dios desde el mismísimo principio.

¿Ahora qué?

E l libro de Génesis termina un poco frío, ¿no? No hay ninguna conclusión para resumir o dejar las cosas mejor acomodadas. Si te sientes un poco desconcertado, está bien. Estás en sintonía con el rol del libro en la historia de Israel: es solo el comienzo. No tiene la intención de atar cabos sueltos y darnos una resolución. Tiene la intención de provocarnos a leer cómo la historia de esta gran familia (que se vuelve más numerosa a cada minuto) se abrirá camino con éxito mientras continúa su lucha contra Dios, con altibajos, picos y valles. Eventualmente, la historia encontrará a Israel en el exilio en Babilonia, esa gran tragedia nacional que le alimenta la visión para escribir su *macrohistoria*, que conocemos como el Antiguo Testamento.

Sabemos que no abordamos todos los temas. Te lo advertimos al principio. En algunos episodios solo dimos un vistazo y, en otros, ni siquiera pudimos hacer eso. Mantuvimos nuestro foco en leer Génesis como una *historia antigua*. Eso quiere decir intentar, lo mejor que podamos, de dejar de lado lo que, como cristianos modernos, pensamos que nos *está* diciendo o *debería* estar diciendo el Génesis, y acercarse prestando atención a lo que en realidad les estaba diciendo el autor *antiguo* a sus lectores *antiguos*. Simplemente, tratamos de ponerte en el camino correcto, orientarte en la dirección correcta y darte un gran empujón.

Feliz viaje.

Tampoco nos metimos en esos temas tan sensuales que producen interminables debates en Facebook —cosas como la teoría de la evolución, el Big Bang, y si los dinosaurios se subieron al arca. Para ser honestos, esperamos que, conforme aprendas a leer Génesis como una historia antigua, descubras que no fue creado para responder ese tipo de preguntas. Génesis fue escrito para responder las preguntas antiguas de los israelitas antiguos. Sea lo que sea que *signifique* para nosotros hoy, necesitas comenzar por entender qué es lo que *significaba* para ellos tiempo atrás.

Ahora, depende de ti: 1) releer Génesis, rellenando algunos de los detalles que no fuimos capaces de cubrir, y descubriendo esta antigua historia por tu cuenta; y 2) seguir leyendo la historia de Éxodo (y más allá), siempre con ojos antiguos. Si te interesa aprender más acerca de la lectura de Génesis desde ojos antiguos, hemos incluido algunas sugerencias que son más detalladas. Leer Génesis y toda la Escritura es un proceso de toda una vida de aprendizaje, ajuste y refinamientos.

Bienvenido al viaje.

Lecturas adicionales

(*en caso de que no nos creas*)

ANDERSON, Gary. "Joseph and the Passion of Our Lord" en David, E., Hays, R., eds. *The Art of Reading Scripture,* Grand Rapids, MI: Eerdmans, 2003. pp. 198–215.

BERGANT, Dianne. Genesis: *A Commentary.* Collegeville, MN. The Liturgical Press, 2013.

BERLIN, Adele; BRETTLER, Marc.*The Jewish Study Bible,* 2.ᵈᵃ ed. Oxford: Oxford University Press, 2014.

BRUEGGEMANN, Walter. *Genesis,* Atlanta, GA: John Knox Press, 1982.

COHN ESKENAZI, TAMARA; WEISS ANDREA, EDS. THE TORAH: A WOMEN'S COMMENTARY, PHILADEPHIA, PA: CCAR PRESS, 2008.

ENNS, Peter. *Invitation to Genesis,* Nashville, TN: Abingdon Press, 2006.

———. *The Evolution of Adam: What the Bible Does and Doesn't Say About Human Origins,* Grand Rapids, MI: Brazos Press, 2012.

FLEMING, Daniel. "History in Genesis" en *Westminster Theological Journal*, n. 65 (2003). pp 25162.

GOLDINGAY, John. *Genesis for Everyone: Parts 1 and 2*, Louisville, KY: Westminster John Knox Press, 2010.

LAPSLEY, *Jacqueline*; NEWSOM *Sharon*; RINGE, *Carol, eds. Woman's Bible Commentary*. 3.ʳᵃ ed. Louisville: Westminster John Knox, 2012.

RENDSBURG, Gary. "The Genesis of the Bible" en *The Blanche and Irving Laurie Chair in Jewish History: Investiture Address*, Camden, NJ: Allen y Joan Bildner Center for the Study of Jewish Life at Rutgers University, 2005. pp. 11–30.

SACKS, Jonathan. *Covenant & Conversation, Genesis: The Book of Beginnings*, London: Maggid Books, 2009.

SARNA, Nahum. *Understanding Genesis: The World of the Bible in the Light of History*, New York, NY: Schocken Books, 1970.

Sobre los autores

Peter Enns (Doctor en Filosofía por la Universidad de Harvard) es profesor de Estudios Bíblicos en Abram S. Clemens, Universidad del Este, en St. Davids, Pennsylvania. Ha escrito numerosos libros, entre ellos *The Bible Tells Me So, The Sin of Certainty,* y *How the Bible Actually Works.*

Jared Byas (Maestría en Artes) es profesor de escuela dominical en la Iglesia Menonita de Salford, y autor del libro *Love Matters More: How Fighting to be Right Keeps Us From Loving Like Jesus* (próximo a salir). Como expastor de enseñanza, profesor de filosofía y estudios bíblicos, habla regularmente sobre la Biblia, la verdad, la creatividad, la sabiduría y la fe cristiana.

¿Disfrutaste del libro?

Para continuar la conversación, considera...

• El podcast de Jared y Pete, *The Bible For Normal People*

• Leer los cientos de artículos de blog en

http://www.thebiblefornormalpeople.com

• Unirte a la comunidad "Biblia para Personas Normales":

http://www.patreon.com/thebiblefornormalpeople

Guía de discusión

para grupos

Tal vez quieras leer *Génesis para gente normal* en grupo
—sobre todo si te inclinas por el control mental masivo— por
lo que pensamos que sería útil proporcionar algún tipo de guía
para esta modalidad de lectura. Creímos que sería de ayuda, en
especial para que los líderes de grupo se preparen para conducir
los encuentros.

Así que aquí está.

Para cada capítulo hemos escrito:

- Un *resumen*

- *Preguntas de discusión* para ayudar a activar la conversación. (Algunas son más bien abiertas, mientras
  que otras requieren que excaves el texto bíblico)

- Una breve *nota para líderes* que acompaña algunas
  de las preguntas de discusión con el fin de ayudar a
  los líderes a preparar y guiar al grupo durante el encuentro. (Para complementar con más información,
  también recomendamos usar una buena Biblia de
  estudio, tal como *The Jewish Study Bible*, *The Harper*

Collins Study Bible, The New Oxford Annotated Bible,
o *The New Interpreter's Study Bible*).

1. La génesis de Génesis

RESUMEN

El Génesis no es un manual o una guía de moral personal.
Es una historia y debería ser leída como tal. Crea un mundo
diferente y nos invita a entrar y dejar de lado nuestro mundo,
como todas las grandes historias. Esto no hace a la cuestión de
si Génesis es históricamente correcto; simplemente nos informa
cómo debemos aproximarnos al libro y lo que podemos esperar
de él.

Génesis también es una historia *antigua*. Como tal, debe
ser leída con ojos antiguos para que podamos hacer preguntas
que esté preparado para responder. Lo más probable es que se
haya compuesto tal como lo conocemos justo después del exilio
de Israel en Babilonia, en el siglo VI a. e. c. Dado este contexto,
deberíamos leerlo sin olvidar que es parte de la historia de Israel,
escrito en respuesta a la catástrofe nacional, para alentar la
fidelidad continua a Dios.

Finalmente, Génesis es parte de una historia más grande.
Esto significa que no puede leerse de manera aislada sino como
una parte de algo. Así como no leerías el primer libro de Harry
Potter creyendo que es el único, Génesis es parte de una serie de
cinco libros llamado *Pentateuco* o *Torá*. El mensaje del Pentateuco

es que Dios es digno de la adoración de Israel porque es 1) el creador; y 2) el salvador de Israel. Génesis se concentra en (1) pero insinúa (2).

PREGUNTAS DE DISCUSIÓN

¿Dirías que creciste leyendo la biblia como un manual, guía de instrucción, o una historia? ¿Cuáles son algunos de los beneficios y daños en cada uno de estos casos?

1. ¿En qué se diferencia leer Génesis como el primer libro de una serie de 5 partes, que hacerlo como si fuese un libro unitario? ¿Qué cambia?

2. Aceptar que Moisés no escribió Génesis, ¿afecta alguna de tus otras creencias? ¿Por qué sí o por qué no?

Nota para líderes: Muchos creen que Moisés es el autor del Pentateuco. Si ese fuera el caso, gran parte del material de la Torá podría ser el relato de un testigo ocular y, por lo tanto, históricamente verificable. ¿Qué está o no en juego aquí?

2. Génesis desde treinta mil pies de altura

RESUMEN

Génesis nos lleva desde la creación a la puerta de la esclavitud de Israel en Egipto, que se retoma en el siguiente libro,

Éxodo. Cuenta la historia a través de una división del libro en diez secciones que empiezan con "Este es el relato de [y así en todos]", en lugar de hacerlo en capítulos y versículos numerados. Este arreglo nos recuerda que el libro relata el comienzo de la historia de Israel.

Si bien Génesis incluye una historia de la creación, no se trata acerca del mundo como un todo. Es una historia sobre la relación de Israel con Dios, una relación teñida por la lucha (que es lo que significa *Israel*) sobre la doble cuestión de las personas y la tierra.

PREGUNTAS DE DISCUSIÓN

1. Como cristianos, creemos que Génesis es una historia acerca de Israel para los israelitas, pero también creemos que la Biblia es la Palabra de Dios para nosotros hoy. ¿Cómo se relacionan entre sí ambas afirmaciones?

Nota para líderes: Algunos sienten que, para que la Biblia sea la Palabra de Dios para nosotros, no puede estar demasiado encerrada en el contexto antiguo. O, quizás, que necesitamos erguirnos por arriba de ese contexto antiguo para encontrar un principio general (moral) de la historia. Hablar sobre lo que significa leer pasajes "dentro de su contexto" podría ser una buena introducción.

2. Mencionamos que originalmente la Biblia no tenía ca-

pítulos o versículos. ¿De qué maneras crees que eso podría afectar la forma en que la lees?

Nota para líderes: *Uno de los efectos podría ser que realmente tendrías que conocer la historia para poder ubicar un pasaje en una Biblia sin numeración. Tendrías que poder mirar una o dos oraciones y saber en qué parte de la historia te encuentras.*

3. Génesis 1—Yahvé es mejor

RESUMEN

El relato de la creación en Génesis 1 es una historia antigua escrita por y para los israelitas antiguos. Para entenderla, debemos aprender a leerla a través de ojos antiguos, suspendiendo nuestras perspectivas científicas propias del siglo XXI. Ese "en el principio" que leemos era un caos de agua (el abismo) que cubría todo y hacía imposible la vida.

Tal estado acuoso hacía del cosmos un "vacío sin forma" (*tohubohu*). Génesis 1 cuenta cómo Dios le formó el cosmos en los días 1–3, y luego llenó el vacío en los días 3–6. La historia de la creación en Génesis 1 no se trata de la "creación desde la nada", sino de Dios ordenando el caos y luego llenando ese espacio ordenado con los cuerpos celestiales (día 4), criaturas marinas y pájaros (día 5), criaturas terrestres y, finalmente, humanos (día 6).

Más que presentar un informe científico de la creación, Génesis 1 se enfrenta y juega con temas compartidos por otras culturas previas, antiguas, especialmente la babilónica (por ejemplo, *Enûma Elish*). Pero el autor de esta historia no solo repite estos temas. En su lugar, los transforma y subvierte para argumentar que el Dios de Israel, y no los de otras naciones, es el verdadero domador del caos.

Si Génesis 1 es leído con expectativas modernas en lugar de ojos antiguos, el significado de esta historia será oscurecido. Para respetar y entender la historia más globalmente, debemos leerla como fue destinada a ser leída.

PREGUNTAS DE DISCUSIÓN

1. Lee 2 Pedro 3: 5 a la luz de Génesis 1. ¿Cambia tu visión de Dios si es presentado como "el que ordena el caos" en lugar de "el que crea de la nada"? ¿Cómo? ¿Por qué?

   *Nota para líderes: Un pensamiento es que Dios está listo y dispuesto a permitir que se hable de él en la Biblia según lo refleja la mentalidad de la **época**. Toda nuestra charla sobre Dios está teñida por nuestra cultura.*

2. ¿Piensas que la Biblia y la ciencia están fundamentalmente en oposición o están en armonía? ¿Por qué?

3. La palabra que usa Génesis 1 para seres humanos creados a la "imagen" de Dios también se encuentra en

Ezequiel 7: 20, 16: 17 y 23: 14. Con base en esos versículos y en la breve mención a los representantes del rey en el libro, discutan qué quiere decir Génesis con ser creado a la imagen de Dios. ¿Cómo es eso igual o diferente de lo que pensabas anteriormente?

Nota para líderes: *A menudo, la gente piensa en la "imagen de Dios" como en nuestra habilidad para razonar, usar el lenguaje o estar en comunión con Dios. Pero, ¿qué dicen estos pasajes acerca de lo que significa "imagen"?*

3. Génesis 2–4: Adán es Israel

RESUMEN

La historia de Adán y Eva no es ni la continuación de Génesis 1, ni otra versión de la creación del cosmos. Es diferente a todo. Cambia el foco del libro, moviéndolo desde el cosmos a Israel. Génesis 1 establece el gran panorama sobre qué tipo de Dios adora Israel; Génesis 2–4 es una previsualización del largo viaje de la nación en el Antiguo Testamento en general.

En la historia de Caín, el hijo de Adán, podemos ver que, claramente, hay otras personas fuera del Jardín del Edén que están poblando la tierra. Así que Adán no es el primer humano. Más bien, la historia de Adán es la de Israel en miniatura, una previsualización de los próximos eventos. Los relatos de Adán e Israel están en paralelo. Tanto Adán como Israel son el pueblo especial de Dios, situados en una tierra exuberante (Adán en el Edén, Israel en Canaán), y se les da "ley" para obedecer (a Adán se le manda no comer del árbol del conocimiento del bien y el mal, y a Israel se le da la Ley de Moisés).

Quedarse en la tierra depende de la obediencia. Adán y Eva desobedecen y son exiliados del Jardín; Israel desobedece y es exiliada de la Tierra Prometida. Tanto para Adán como para Israel, el exilio es una forma de muerte (lo que ayuda a explicar la promesa de Dios en Génesis 2: 17 de que Adán morirá "el día" que coma del fruto, pero su castigo en Génesis 3: 23-24 es, en realidad, ser echado del Jardín).

La historia de Adán también es similar al libro de Proverbios. Mientras que Israel está llamado a buscar la sabiduría al andar por el camino de Dios y vivir según su sabiduría, a Adán y Eva se les está enseñando a ganar sabiduría al obedecer a Dios (no comas del fruto del árbol de la sabiduría) y confiar en él. En ambos casos, vivir en sumisión a los caminos de Dios trae consigo la promesa de vida, que, principalmente, significa vida en la tierra (Edén o Canaán). El fallo de Adán y Eva en su intento de vivir una vida sabia es una versión en miniatura de las repetidas fallas de Israel para hacer lo mismo.

PREGUNTAS DE DISCUSIÓN

1. Lean Romanos 5: 12-20. Discutan cómo afecta este pasaje de Pablo la lectura de la historia de Adán como un Israel miniatura.

Nota para líderes: *Pablo parece asumir que Adán es el primer humano y que trajo un problema universal que Jesús vino a resolver. ¿Esa suposición es necesariamente correcta?*

2. ¿Cómo afecta tu perspectiva de los orígenes humanos el reconocimiento de que había personas viviendo fuera del Jardín del Edén mientras la historia de Adán y Eva está sucediendo dentro del Jardín del Edén?

Nota para líderes: *Algunos piensan que si Adán no es el primer humano, disminuye mucho de la tensión con la teoría de la evolución.*

3. Mencionamos que, al menos en la iglesia Occidental, la escena de la ingesta del fruto prohibido ha sido utilizada para explicar el pecado original y la caída. La iglesia Oriental, por otro lado, ha contado la historia como una pérdida de la inocencia. ¿Qué interpretación resuena más en ti y por qué?

5. Génesis 4-5 - Caín es un tonto

RESUMEN

El primer pecado cometido en la Biblia es el asesinato de Abel por parte de Caín, su hermano mayor, por celos. Al hacerlo, Caín sigue los pasos de su padre Adán en no obedecer la dirección de Dios. Y, como la historia de Adán, esta también es una historia de Israel en miniatura. En Proverbios 1, la falla al seguir el camino de la sabiduría resulta en asesinato, lo que refleja el comportamiento de Caín.

Adán, Eva y Caín ya estaban en el exilio, fuera del Jardín; pero el comportamiento de Caín lo lleva aún más lejos. Vaga sin rumbo en la tierra de Nod ("errante"), donde comienza una nueva vida. Mientras tanto, Adán y Eva tienen otro hijo, Set, que tiene un hijo llamado Enós. En vez de construirle una ciudad como Caín hace para su hijo (Enoc), el nacimiento de Enós marca el tiempo cuando "se comenzó a invocar el nombre del Señor" (4: 26). Eventualmente, el linaje de Set nos lleva a Abraham, el padre de Israel.

La genealogía del capítulo 5 mueve la historia hacia el siguiente episodio central: el diluvio. La genealogía es como un mapa que se asegura de que sepamos que la historia transita el linaje de Set para llevarnos a Noé. Las prolongadas vida sobrehumanas no están para que se las tome literalmente. Indican que la muerte era mucho más lenta antes del diluvio.

PREGUNTAS DE DISCUSIÓN

1. Lee Proverbios 1. ¿Qué conexiones ves con la historia de Caín en Génesis 4? ¿Cómo explicas estas conexiones y qué crees que significa en cómo se compiló la Biblia?

Nota para líderes: Muy a menudo, la noción de sabiduría es vista como una cuestión secundaria en la Biblia, por detrás de las narrativas "más importantes" de Génesis 2, a través de 2 Reyes. Quizás, la sabiduría juega un rol más prominente a lo largo de la Biblia de lo que esperamos. Tal vez, una buena introducción es discutir qué es la sabiduría bíblica.

2. Basados solo en la historia de Adán y Eva, y luego en la historia de Caín y Abel, discutan sobre el pecado. ¿Qué es y de dónde viene?

3. Mencionamos la "Lista de Reyes Sumerios", un documento antiguo de uno de los vecinos de Israel, que dice que los reyes vivieron cientos de años. ¿Piensas que las edades de Génesis 5 están para ser consideradas duraciones de vida verosímiles o para desarrollar un argumento sobre la vida antes del diluvio? ¿Por qué?

Nota para líderes: Este es otro ejemplo de un problema relevante a lo largo de Génesis: ¿Cuán históricamente correcto es Génesis, y cuán importante es la precisión histórica para el modo de pensar de la Biblia y la inspiración?

6. Génesis 6–9: Todos se ahogan

RESUMEN

El diluvio no es una historia para niños, sino un relato terrorífico de la extinción masiva de la humanidad. Los vecinos de Israel también tienen historias de diluvio muy similares y más antiguas que la bíblica. Los mejores ejemplos conocidos son encontrados en las épicas de *Gilgamesh* y *Atrahasis*. El trasfondo más probable para todas estas historias es un aluvión devastador en la llanura mesopotámica alrededor del 2900 a. e. c. (aunque algunos sugieren aluviones similares que datan de cientos de años previos).

Las historias de diluvio fueron escritas para dar un relato de porqué tales cosas sucedieron, y la explicación tenía que ver con algo que ocurría en el terreno de lo divino. Los israelitas contaron su propia versión para señalar cómo su Dios era diferente de los dioses de las demás naciones. El diluvio no era un castigo por que los humanos estaban haciendo demasiado ruido (como en *Atrahasis*), sino por fallar en seguir los caminos de Dios que llevan a la vida (sin mencionar el incidente en Génesis 6: 14, donde seres divinos cohabitan con mujeres).

Incluso más importante, la historia del diluvio pinta el reverso de la creación —el desarme del orden que Dios había establecido en Génesis 1. Las ventanas del domo sobre la tierra, que mantuvo las aguas de arriba bajo control (Día 2, Génesis 1: 6-8), fueron abiertas, y las aguas del caos se vertieron y arrasaron y mataron todo a su paso. En otras palabras, el cosmos volvió a su estado original, sin forma, inhabitable (*tohubohu*).

La historia del diluvio termina con un incidente que involucra a los tres hijos de Noé. Cam es señalado como culpable de encontrar a su padre borracho, desnudo, y contarle a sus hermanos al respecto. El castigo por este acto es una maldición al hijo de Cam (Canaán, los archienemigos de Israel en el Antiguo Testamento). El relato del diluvio es un vehículo para que el postrero escritor israelita explicara por qué los odiados cananeos merecían todo lo que recibieron, incluyendo el exterminio de su tierra natal para ser devuelta a los israelitas.

PREGUNTAS DE DISCUSIÓN

1. ¿Qué implicaciones trae leer el relato del diluvio como universal o regional?

2. ¿Cuáles son los temas principales de lectura de la historia del diluvio? ¿Es de ayuda o no enseñársela a los niños pequeños? ¿Por qué sí o por qué no?

Nota para líderes: Esto influye en la cuestión más amplia de cómo enseñar a los niños las narrativas problemáticas de la Biblia acerca de la violencia de Dios y otras cuestiones que despiertan problemas morales para los lectores.

3. Conforme fuiste introducido a historias como las de *Atrahasis* y *Gilgamesh*, ¿cuáles son tus reacciones a estas y sus similitudes con los relatos de Génesis?

4. La historia del diluvio está diseñada para hablar sobre por qué Dios destruiría a las personas con desastres naturales (una gran inundación, en este caso). ¿Cuál piensas que es la relación entre los desastres naturales y Dios hoy? ¿Es igual o diferente a la relación que vemos en la Biblia? ¿Por qué?

Nota para líderes: *Algunos piensan que los desastres "naturales" son ajenos a Dios, mientras que Dios es responsable solo de los actos especiales (milagros). Otros piensan que, en última instancia, Dios está detrás de lo que llamamos eventos "naturales", no porque Dios cause directamente las tormentas o el amanecer, sino porque es quien ordenó a la creación para que hiciera estas cosas.*

7. Génesis 10–12: Babilonia es malvada

RESUMEN

El capítulo 10 es una genealogía posdiluvio de los tres hijos de Noé: Sem, Cam y Jafet. Los descendientes de cada uno se asientan en diferentes partes del mundo conocido y tienen su propio lenguaje. El linaje de Sem (Sem es la palabra de la que obtenemos "semita") nos conduce a Abraham, persona que predomina en los siguientes catorce capítulos. Pero, primero, llegamos a la famosa historia de la torre de Babel.

Como la historia de la creación y la del diluvio, la de la torre es otro puñetazo para los babilonios, la nación que destruyó el templo y llevó a los israelitas al cautiverio en el 586 a. e. c. Ellos son los responsables por la confusión de lenguajes en la tierra (una explicación alternativa para el surgimiento de las distintas lenguas, además de la genealogía anterior). También fueron lo suficientemente tontos para pensar que podían construir una torre (de verdad, una estructura con escalones llamada zigurat) para llegar al nivel de los dioses. En su lugar, Dios *baja* y los castiga al confundirles (el hebreo para "confundir" es *balal*, un juego de palabras con *babel*, que es Babilonia) el lenguaje, obligándolos a dispersarse. El punto de la historia es que los babilonios han sido una fuerza molesta, destructiva e impía desde el principio.

PREGUNTAS DE DISCUSIÓN

1. ¿Cómo explicarías que hay "muchos lenguajes" en Génesis 10 y "un lenguaje" en Génesis 11? ¿Cuál crees que es el punto del autor al poner esas dos historias juntas?

2. Según el relato de la torre de Babel, Dios baja mientras los babilonios intentan llegar hasta los dioses. Mientras pensamos la Biblia como un todo, y especialmente a Jesús en el Nuevo Testamento, ¿qué implica tener un Dios que baja?

Nota para líderes: *Parece que Dios nos encuentra en donde estamos, lo cual es un acto de amor y gracia, y una voluntad de identificarse con la humanidad.*

3. Según Josué 24: 2, Taré, el papá de Abraham, adoraba otros dioses en Babilonia. El texto no dice mucho, pero, ¿crees que Abraham habría estado de acuerdo con eso? ¿Afecta de alguna manera tu opinión sobre Abraham? ¿Por qué sí o por qué no?

Nota para líderes: *Los intérpretes antiguos del judaísmo estuvieron especialmente interesados en evitar que Abraham tuviera el menor indicio de que era un adorador de ídolos. Nota, también, que Abraham no fue llamado hasta después de que su familia llegara a Harán, pero Génesis 15: 7 dice que Dios ya había llamado a Abraham cuando estaba en Ur.*

8. Génesis 12–22: Abraham es escogido

RESUMEN

Dios escoge a Abraham, un antiguo residente de Babilonia, para convertirlo en padre de una nación (Israel) y una fuente de bendición o maldición a todas las otras naciones (dependiendo de cómo actúen hacia Israel). No se da ninguna razón de por qué es elegido. De todos modos, al salir de Babilonia para entrar a Canaán y hacerla su hogar, Abraham refleja la salida de Israel de Babilonia y el regreso a su tierra natal luego del exilio.

Abraham no es ningún santo, lo cual es otra similitud entre él e Israel. En pocas palabras, imita las luchas de Israel contra Dios, como cuando intenta (dos veces) salvar su propio pescuezo al hacer pasar a Sara por su hermana. El primer incidente tiene lugar en Génesis 12, cuando Abraham y Sara van a Egipto a causa de una hambruna y luego regresan a Canaán, lo cual refleja el posterior viaje de Israel hacia y desde Egipto.

El drama en el que se pone énfasis en la historia de Abraham es la infertilidad de Sara. Dios promete proveer descendencia para Abraham a través de ella y darle a sus descendientes la tierra de Canaán como hogar. Al principio, parecía como si la promesa se fuera a cumplir a través de Eliezer, el sirviente de Abraham, o a través de Ismael, el hijo de Agar, la sirvienta egipcia de Sara. Pero, como para dejar claro que la existencia de Israel es totalmente obra de Dios, la promesa se cumpliría a través de Isaac, el hijo de la mujer estéril.

La historia de Abraham también nos introduce al rito de la circuncisión, que sería una señal física del pacto vinculante con Yahvé. Esa es la parte del trato que Abraham y sus descendientes deberán mantener. Otra obligación está escondida en 18: 19, donde se le dice a Abraham que se "mantenga en el camino del Señor, practicando lo que es justo y recto" para permanecer en buena posición delante de Yahvé. Mantener una clara identidad israelita al guardar la ley de Dios era una preocupación central para los que estaban exiliados en Babilonia, y la historia de Abraham lo refleja.

Luego de todas esas promesas, Dios le dice a Abraham

que sacrifique a su hijo Isaac (ahora adolescente), lo cual es una prueba para evaluar su obediencia (a diferencia de Adán). El ángel de Yahvé frena a Abraham a último momento. Tan dura como nos suena esta historia, está enraizada en la noción bíblica de que los primogénitos de todo vientre —humano o animal— pertenecen a Yahvé.

PREGUNTAS DE DISCUSIÓN

1. Por falta de espacio, el libro no da cuenta del relato de Sodoma y Gomorra en Génesis 18-19. Lee la historia. Según lo que aprendiste aquí sobre cómo leer Génesis, ¿cuál piensas que es el punto de la historia? ¿Por qué crees que este episodio se encuentra en Génesis justo en este momento de la historia?

   Nota para líderes: A primera vista, este episodio no encaja en la historia, pero observa cómo el comportamiento de Abraham contrasta con el de Lot en el capítulo 13, y también con el de las personas de Sodoma en el capítulo 19. Otro asunto clave aquí es el anunciamiento del eventual embarazo de Sara.

2. ¿Cuál es el punto de Dios al pedirle a Abraham que sacrifique a Isaac? ¿Por qué piensas que hace tal petición?

   Nota para líderes: La historia deja en claro que Dios está probando a Abraham para saber (averiguar) si Abraham confía en él. A lo largo de la mayor parte de Génesis, Dios es retratado muy humanamente (antropomórficamente). También, a lo largo de la historia de la iglesia, los teólogos han visto el casi sacrificio de Isaac como un augurio de Cristo.

3. Antes de Génesis 17, la promesa de Dios a Abraham parece ser incondicional (Dios le dará tierra y descendencia). Pero, al comenzar el capítulo 17, la promesa adquiere algunas condiciones (como la circuncisión y el sacrificio de Isaac). ¿Cómo puede uno reconciliar esto?

9. Génesis 23–25 - Isaac es el padre de Israel

RESUMEN

Abraham hace los arreglos para encontrarle a Isaac una esposa de Aram-naharaim, una región de la Mesopotamia en donde tiene conexiones familiares. Los matrimonios interraciales eran una mala idea en el Antiguo Testamento, porque alentaba la infidelidad espiritual. Así que Isaac se casa con Rebeca, la nieta del hermano de Abraham, Najor. El hermano de Rebeca es Labán, a quien conoceremos, luego, en la historia de Jacob.

Con la muerte de Abraham, la promesa de Dios se transfiere a Isaac. Como su padre, Isaac vaga por las tierras extranjeras (a causa de la hambruna) de Gerar, que es la tierra de los filisteos. Dios los libera de ahí sanos y salvos. La promesa de tierra y descendencia no terminó con la muerte de Abraham.

La presencia de filisteos en el segundo milenio a. e. c. está fuera de lugar, históricamente hablando, ya que llegaron desde Grecia alrededor del año 1200 a. e. c. Este es otro simple ejemplo que demuestra que la historia del antiguo Israel muestra claros signos de haber sido escrita más tarde que el presente narrativo de las historias.

PREGUNTAS DE DISCUSIÓN

1. Ambos, Abraham e Isaac (en el capítulo 26), le dicen a distintos reyes que sus esposas son sus hermanas. ¿Esto plantea algún tipo de problemas morales? ¿Por qué crees que el autor de Génesis incluye todos estos relatos?

Nota para líderes: *Técnicamente (según Génesis 20: 12), Sara era la hermana (medio) de Abraham, y Rebeca era medio como una hermana (prima) de Isaac, pero sus motivos parecieran egoístas e interesados: supervivencia personal.*

2. Todo Génesis 23 detalla la muerte y el entierro de Sara, aunque, en realidad, no lo abordamos en el libro. ¿Por qué crees que el autor de Génesis pasa tanto tiempo en este relato?

Nota para líderes: Al comprar una parcela para su entierro, Abraham tiene un reclamo legal sobre la tierra que eventualmente se les dará a los israelitas después del Éxodo.

3. Lee de nuevo la historia de Caín y Abel en Génesis 4. ¿Qué tiene de similar y de diferente con el relato del nacimiento Jacob y Esaú (Génesis 25: 19-34)?

10. Génesis 25–35 - Jacob es Israel (esta vez, literalmente)

RESUMEN

Jacob y su mellizo Esaú son los dos hijos de Isaac y Rebeca. La rivalidad entre hermanos está en el centro de la escena, como en la historia de Caín y Abel. Será un tema común a lo largo de la existencia tribal y nacional de Israel. (Las doce tribus de Israel son descendientes de los doce hijos de Jacob, que tienen peleas y tensiones entre ellos regularmente).

La historia de Jacob y Esaú está cargada de engaño, a saber, de parte de Jacob y su madre contra Esaú e Isaac. El problema está en cuál de los hermanos tendrá los derechos del primogénito, el mayor, Esaú (que vendió su primogenitura por un almuerzo caliente), o Jacob (que conspiró con su madre para engañar al ciego de Isaac para que le dé la bendición a él en vez de Esaú).

Este arreglo saca chispas de hostilidad, y Jacob termina huyendo por su seguridad. En el camino, sueña con Betel ("Casa de Dios"), donde ve una escalera al cielo, y la promesa de Dios a Abraham le es transferida.

Jacob continúa su camino y conoce a Raquel, la hija de su tío Labán. Más engaños en camino. Jacob acepta trabajar para Labán durante siete años a cambio de Raquel, pero es engañado: el tío reemplaza a Raquel por Lea, la hermana mayor y menos atractiva —justicia poética por la usurpación de Jacob al lugar de primogénito que le correspondía a Esaú. Jacob es burlado, pero Labán le ofrece también a Raquel, a cambio de siete años más. Esto desencadena una rivalidad entre hermanas, como sucedió con Jacob y Esaú. De ellas y sus sirvientas, Jacob tiene doce hijos, que se convertirán las doce tribus de Israel.

Después de un tiempo, Jacob quiere mudarse con su familia, pero no antes de engañar a Labán para que le diera una gran cantidad de animales moteados, manchados y oscuros. Labán lo tolera hasta que nota que sus ídolos caseros no están. A esa altura, persigue a Jacob para confrontarlo sobre los dioses desaparecidos. Jacob no tiene idea de qué se trae entre manos, pero promete que, quien sea que los haya tomado, puede darse por muerto. Desafortunadamente, la culpable es Raquel. Pero ella engaña a Labán (le miente) para que los deje ir. A pesar de los primeros antecedentes de comportamiento engañoso de Israel, Dios se queda con ellos —como lo hará al traerlos de regreso del exilio en Babilonia.

Jacob continúa en su viaje a través del territorio de Esaú y está comprensiblemente nervioso. Envía regalos para apaciguar a su hermano, y, durante la noche, pelea contra "un hombre", que lo bendice y le cambia el nombre a "Israel" ("el que lucha con Dios")

—un nombre que describirá la realidad de Israel a lo largo de su próxima historia. Como su padre antes que ellos, los israelitas están definidos por su disputa con Dios para ser bendecidos. Ni siquiera la lucha final del exilio los disuadirá.

PREGUNTAS DE DISCUSIÓN

1. ¿Cómo afecta el modo en que ves la relación de Dios con su pueblo —y, quizás, contigo mismo— la familia disfuncional de la historia de Israel en Génesis?

2. Uno de los temas centrales en Génesis es la pelea o forcejeo con Dios. En la tradición judía hay una cuestión de larga data de lucha contra Dios, pero, usualmente, los cristianos son desalentados a hacerlo. ¿Fuiste criado en una tradición donde "luchar contra Dios" estaba permitido? ¿Qué maneras crees que son apropiadas o inapropiadas para relacionarte con él? Piensa en otros ejemplos bíblicos de personas que lucharon.

Nota para líderes: *Muchos personajes bíblicos pelearon contra Dios, tal como Moisés, David, Job, y Qohelet (la figura principal en Eclesiastés, a veces traducida como "maestro"). Casi la mitad de los salmos tienen un elemento fuerte de lamentación, y Jesús mismo lucha contra Dios.*

3. Jacob tiene algunos defectos altamente cuestionables en

su carácter. ¿Podrías enumerar algunos? Sin embargo, Dios no parece abordar estos defectos. ¿Esto afecta tu visión de "Dios como Dios", conforme es presentado en Génesis?

Nota para líderes: *Este es un lugar para hablar sobre el tema del engaño en Génesis, tal como se ve en Jacob y luego en Labán, en los hermanos de José y en José mismo.*

11. Génesis 36–50 - Israel es salvado

RESUMEN

Esta sección final de Génesis se centra en el linaje de Jacob a través de su hijo favorito, José.

Nos lleva de una prole de hermanos peleadores a las puertas del reino del faraón. Aunque la historia en Génesis termina bien, es un preludio a la esclavización de los israelitas por parte de Egipto en el libro de Éxodo.

La rivalidad entre hermanos, un tema que hemos visto a lo largo de Génesis, es un problema central en estos capítulos. José es el favorito de su padre, quien trató de ponerlo por encima de los otros hijos. No ayuda en nada que José tenga sueños en los que sus hermanos se inclinan ante él (los cuales, claro, se encarga de transmitirles). Ellos venden a José a unos mercaderes y, eventualmente, José termina en Egipto. La discordia continuará a lo largo de la historia de Israel a través de las doce tribus, descendientes de estos doce hermanos.

Otro tema recurrente que vemos en la historia es el engaño. Los hijos de Jacob lo engañan para que crea que un animal salvaje mató a José. La ironía es la misma que vimos con Labán antes: Jacob, el engañador, es engañado. Luego, José ocultará su identidad de sus hermanos y los engañará para que piensen que sus vidas están en peligro por robar una copa.

La presencia de José en Egipto trae bendición a la nación, y, a la vez, él y sus hermanos son bendecidos por Egipto. José interpreta los sueños del faraón y Egipto se salva de una hambruna mortal; además, la familia de José es llevada del borde del hambre a la seguridad del reino del faraón. Tal beneficio mutuo es una reafirmación de la promesa de Dios a Abraham (Génesis 12: 13) —que sus descendientes serán una bendición a otras naciones y, a cambio, ellos serán bendecidos por las naciones.

Mientras tanto, en Egipto, los hijos de Jacob "eran fructíferos y aumentaban en gran número" (Génesis 47: 27). Estas palabras se ven por primera vez en Génesis 1 (y en otros momentos fundamentales del libro), por lo que nuestra historia ha cerrado el círculo. Israel, el pueblo elegido de Dios, fue desde una pareja estéril a un gran clan, y crece hasta llegar a ser una nación en el corazón de una de las superpotencias políticas de aquellos días.

El libro termina con la muerte de Jacob y, luego, de José. Con esto, la infancia de Israel llega al final y un período difícil de crecimiento está por comenzar. El proceso de pasar de ser un pueblo a ser una nación no es para nada fácil. Terminará con

Israel lamiéndose las heridas del cautiverio babilónico. La historia antigua de Israel —en Génesis y en todo el Antiguo Testamento— se trata de lucha contra Dios y contra otros. Es también sobre la persistencia de la fe de Israel en Dios y la creencia de que él estará con ellos sin importar qué suceda.

PREGUNTAS DE DISCUSIÓN

1. Por cuestiones de espacio, el libro no aborda el relato de Judá y Tamar en Génesis 38. Lee la historia. Basado en lo que has aprendido sobre cómo leer Génesis, comparte tu opinión sobre el núcleo de la historia y por qué piensas que este episodio tiene lugar allí.

Nota para líderes: Como la historia de Sodoma y Gomorra, la de Judá y Tamar parece una interrupción en el flujo de Génesis. Algunos piensan que se insertó, principalmente, para construir suspenso; pero también invita a contrastar entre las acciones honorables de José hacia la esposa de Potifar y las relaciones sexuales deshonrosas de Judá con su propia nuera. El hijo de su unión, Fares, sería el ancestro del Rey David, que tampoco es ajeno a la mala conducta sexual.

2. En Génesis 42-44, José trata aparentemente mal a sus hermanos, encadenándolos y poniéndolos en una situación desesperada. ¿Por qué lo hace? ¿Por venganza? ¿O hay otras posibles razones por las cuales el autor de Génesis incluiría esto?

3. José deja su huella debido a su habilidad para interpretar sueños de la mano de Dios. ¿Crees que los sueños son una forma en que Dios nos habla?

4. ¿Cómo prepara la historia de José el escenario para el libro de Éxodo?

Nota para líderes: Los versículos de apertura de Éxodo son muy similares a Génesis 6: 26-27, lo que nos recuerda que Éxodo no es un libro aparte, sino el siguiente capítulo de una historia más grande. Además, la poca hospitalidad mostrada a Israel por el faraón en el primer capítulo de Éxodo contrasta con el trato de realeza en la historia de José, y también deja muy mal parado a Egipto. Al igual que los residentes de Sodoma, más tarde, Egipto mostrará falta de respeto por sus invitados.

Lightning Source UK Ltd.
Milton Keynes UK
UKHW011120161121
394065UK00003B/420